mes recettes minceur

Stéphane Dupré

stylisme et photographies d'Amélie Vuillon

mes recettes minceur

MARABOUT

sommaire

mieux manger pour vivre mieux

Mieux manger, bien manger : tout un programme, mais dont la signification a varié au cours du temps. Dans

nos sociétés où l'abondance, même mal partagée, est le maître mot en matière d'alimentation, les traditions

et les références qui guidaient nos comportements alimentaires sont devenues caduques. Entre messages

publicitaires et recommandations de santé publique, qui parviendra à reprogrammer notre instinct ?

trop d'abondance nuit à la santé

Notre organisme consomme de l'énergie en permanence. Même au plus profond de notre sommeil, il

maintient le cerveau en état de fonctionnement, la température corporelle aux environs de 37 °C, et

tant d'autres choses encore... Comment, dès lors, fournir le carburant de cette perpétuelle dépense

énergétique ? En mangeant sans cesse ? Sûrement pas.

Merveilleuse graisse

Notre survie repose sur une aptitude très particulière à stocker et mobiliser des réserves sous forme de graisses. Ces réserves lipidiques devraient être d'autant plus élevées que les écarts dans des apports nutritionnels sont importants : la taille du tissu adipeux serait ainsi proportionnelle au risque de famine.

Mais ce qui fut vrai du temps des cavernes à la fin du IIe millénaire ne l'est plus de nos jours. Dans la société occidentale actuelle, où la disponibilité en aliments de haute valeur nutritionnelle est grande et le risque de pénurie faible, cette aptitude au stockage, qui a permis à l'espèce humaine de ne pas disparaître, s'est transformée en un handicap et a largement répandu les pathologies dites « de surcharge » : obésité, diabète, hyperlipidémie…

Des changements dans l'environnement, au niveau de la disponibilité alimentaire ou du mode de vie, peuvent être responsables d'un excès de stockage du fait d'une régulation métabolique davantage orientée vers l'économie que vers le gaspillage. La restriction alimentaire peut alors devenir un élément d'adaptation, et il n'est pas besoin de longs discours pour se convaincre de l'intérêt qu'il y aurait à modifier nos habitudes alimentaires afin de les adapter à la situation actuelle de pléthore. Manger moins ou bouger plus apparaissent donc comme des solutions… mais comment faire en pratique ?

Les recommandations officielles

Conscients que ces déséquilibres constituent un véritable problème de santé publique, beaucoup de pays émettent des recommandations nutritionnelles pour tenter de rectifier la situation. Mais il est difficile de changer ses habitudes alimentaires : manque de temps ou de moyens financiers, coutumes solidement enracinées, tentations auxquelles on peine à résister, tout semble s'y opposer. En France, un programme de large envergure a été lancé depuis plusieurs années.

Les neuf objectifs du Plan National Nutrition Santé (PNNS)

1. Augmenter la consommation de fruits et de légumes ;
2. Augmenter les apports en calcium ;
3. Réduire à 1/3 la part des lipides totaux dans les apports énergétiques journaliers [c'est-à-dire en kilocalories et non en grammes, sachant qu'1 g de lipide apporte 9 kcal, soit plus de 2 fois l'énergie d'1 gramme de protide ou de glucide (4 kcal)] ;
4. Augmenter la consommation de glucides afin qu'ils contribuent à plus de 50 % des apports énergétiques journaliers ;
5. Réduire l'apport d'alcool chez ceux qui en consomment ;
6. Prévenir les méfaits du cholestérol chez les adultes ;
7. Réduire chez ceux-ci la prévalence de l'hypertension artérielle ;
8. Barrer la route au surpoids et à l'obésité ;
9. Augmenter l'activité physique quotidienne.

questions de poids

Ces dernières décennies, l'obésité s'est répandue d'une façon spectaculaire. Aux États-Unis, 25 %

de la population est obèse et 40 % en excès de poids. En Grande-Bretagne, 15 % des hommes et 17 %

des femmes sont touchés. En France, l'obésité atteint environ 10 % de la population, le plus inquiétant

étant sa progression chez les enfants : 3 % d'enfants obèses il y a 30 ans ; 13 % aujourd'hui.

L'idéal minceur : question de santé ou chimère dangereuse ?

Le culte de la minceur ne cesse de faire de nouveaux adeptes. Des livres, des numéros spéciaux de magazines et des revues spécifiques lui sont consacrés. L'industrie s'enrichit de produits allégés et propose des substituts de repas sous diverses formes, des « diètes hyperprotéinées » et une kyrielle de denrées hypocaloriques. Les marchands de compléments alimentaires font leurs choux gras des carences engendrées par les régimes. Les fabricants de cosmétiques anticellulite ou de crèmes amincissantes se frottent les mains, tout comme les clubs de remise en forme, les établissements de cure et de thalassothérapie... Le marché est florissant, avec une perte de poids vérifiée pour le portefeuille des candidats à l'amaigrissement.

Certes le diabète, l'hypertension artérielle, les dyslipidémies, l'arthrose du genou ou de la hanche sont autant de pathologies secondaires à l'obésité souvent améliorées par une perte de poids modérée. Mais soigner l'obésité et ses complications ne se résume pas à « faire maigrir ». La démarche doit prendre en compte des objectifs médicaux, psychologiques et sociaux, faire un bilan de la situation et viser le long terme à l'aide de moyens raisonnables. Elle implique souvent l'intervention de plusieurs spécialistes, dont le diététicien, qui affrontent des processus suffisamment complexes pour qu'on ne puisse prétendre les aborder dans cet ouvrage.

Qu'est-ce que le poids ?

Le poids, qui se lit sur la balance, totalise les masses des différents compartiments de l'organisme : l'eau (en très grande majorité), la masse musculaire (ou maigre) et la masse grasse (ou tissu adipeux). Ce poids varie au cours de la journée : nous sommes plus lourds le soir ou après avoir bu un litre d'eau (1 kg de plus). C'est pourquoi on recommande de se peser à jeun, nu, après avoir été aux toilettes (donc plutôt le matin), et si possible toujours sur la même balance. Une fois par semaine suffit amplement.

Il est facile de perdre du poids en éliminant de l'eau (faire un sauna, courir en s'emballant le corps d'une tenue synthétique, etc.) ou d'appauvrir sa masse maigre par des régimes déséquilibrés. Ces résultats sont défavorables à l'organisme. Facile aussi de se tromper d'ennemi : ainsi la cellulite, forme de réserve féminine, de caractère sexuel secondaire plus ou moins développé, ne va pas systématiquement de pair avec le surpoids. Huit femmes sur dix ont de la cellulite, qu'elles soient rondes ou maigres.

Cellulite et kilos superflus

La cellulite se situe en général dans le bas du corps féminin (hanche et cuisse), localisation moins dangereuse pour la santé que celle des obésités abdominales (encore dites androïdes). Influencée par des facteurs familiaux, hormonaux, ou par le mode de vie, il semble qu'elle ait toujours correspondu au besoin de stocker pour les bébés à venir...

Vouloir perdre de la cellulite n'implique pas la même démarche que vouloir perdre du poids ! C'est une forme de graisse difficile à mobiliser, car elle réagit différemment des autres. Jamais le régime strict, jamais la restriction alimentaire ne l'ont fait disparaître. Curieusement même,

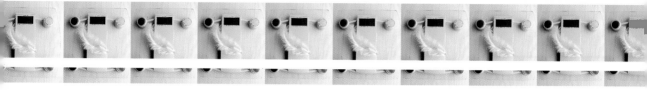

une femme qui fait un régime va maigrir de partout sauf, ou du moins bien moins, à l'endroit de la cellulite, ce qui la conduit parfois à craquer et re-manger avec excès.

Sur les zones cellulitiques, la graisse présente une épaisseur importante et cloisonnée par des fibres conjonctives peu extensibles, ce qui, compte tenu de la finesse de la peau de la femme, explique cet aspect appelé « peau d'orange ». Les crèmes peuvent un peu modifier l'aspect de la peau – ce qui est d'ailleurs avant tout l'effet du massage –, mais elles ne changent pratiquement rien ni à son épaisseur ni à celle de la graisse.

Pourquoi prend-on du poids ?

La génétique, souvent appelée à la rescousse, n'explique qu'une partie de la prise de poids. Les aïeux des personnes possédant les gènes qui favorisent la prise de poids étaient, eux, favorisés dans les périodes de famine. Mais aujourd'hui, l'héritage n'est plus adapté, et les malheureux titulaires de ces gènes doivent faire plus d'efforts que les autres et modifier leurs comportements alimentaires et sociaux pour ne pas grossir.

Hors génétique, on connaît le rôle d'une alimentation déséquilibrée (trop de graisses et de sucres simples), de l'augmentation du nombre des prises alimentaires, du grignotage n'importe quand et n'importe où (surtout devant la télévision). On peut aussi évoquer des facteurs environnementaux : situation conflictuelle (dépression, deuil, divorce, séparation, chômage, échec professionnel ou scolaire, anxiété, stress, ennui et mal-être) ; changement de vie (mariage, divorce, déménagement, retraite, arrêt du sport, du tabac, de l'alcool) ; modifications brutales des habitudes alimentaires dans les populations migrantes...

Normalité et culpabilité

Au regard des normes médicales de corpulence, plus de 60 % des Françaises ont un poids normal. Cependant 70 % de ces mêmes femmes entretiennent des rapports difficiles avec leur corps (celles qui se sentent vraiment bien avec lui ne sont que 14 %) ; une femme sur deux est une habituée des régimes, alors que le fait de suivre un régime est considéré comme difficile par 77 % des femmes et comme très difficile par 35 %.

Il faut bien reconnaître que le discours médical alimente la pression sociale autour de la minceur. Il risque d'entraîner des restrictions inutiles et dangereuses chez des bien portants qui n'en ont pas besoin. Pire encore, il fait de plus en plus apparaître le gros comme un délinquant nutritionnel.

Sacro-saint IMC

A priori aussi impartial que le grammage d'une feuille de papier estimé au mètre carré, l'indice de masse corporelle (IMC) est un critère médical de corpulence. Il se calcule en divisant le poids (en kg) par le carré de la taille (en mètres). Ainsi une femme de 1,65 m pesant 60 kg a un IMC de 22 kg/m². Pour les adultes, on considère qu'un IMC inférieur à 18,5 indique la maigreur ; entre 18,5 et 25, un poids normal ; et entre 25 et 30 un surpoids. Au-delà de 30 commence l'obésité.

Cependant la normalité (IMC entre 18,5 et 25) est difficile à faire admettre à une jeune femme qui trouve que son corps ne correspond pas aux canons de la beauté et de la séduction. Entre 25 et 30, ce sont les facteurs de risque (hypertension artérielle, maladie du cœur ou des vaisseaux, diabète, hyperlipidémie...) qui détermineront une intervention médicale. Au-delà de 30, et a fortiori pour un IMC supérieur à 40, les risques de maladie et de mortalité sont assez élevés pour justifier une prise en charge médicale.

Affiner l'appréciation

Si l'IMC est un bon indicateur, il ne pèche pas par excès de subtilité ! Connaître plus finement la composition corporelle d'une personne est parfois indispensable : telle peut très bien avoir un IMC « normal » mais de la cellulite mal localisée et mal vécue car perçue comme inesthétique ; telle autre un IMC à 40 mais l'avoir acquis en « poussant de la fonte » et être champion de culturisme ! La technique la plus fréquemment utilisée pour mesurer les parts relatives de la masse grasse et de la masse maigre (eau, muscles et os) dans le corps est l'impédancemétrie, qui exploite l'inégale résistance de ces différents tissus à un courant électrique qui les traverse.

tous les régimes font perdre du poids, mais le Yo-Yo guette

Si la moitié de l'humanité souffre de faim, l'autre ne rêve que de combats contre l'obésité et de régimes

à répétition. Un peu de bon sens s'impose : la plupart des régimes sont épuisants et vains. Ne tombez

pas dans le piège de ceux qui vous promettent la perte rapide de quelques kilos... que vous reprendrez

plus vite encore ! De plus, nombre d'entre eux peuvent s'avérer dangereux pour votre santé.

Fortement déconseillés

Ananas-pamplemousse

Ce régime préconise la consommation exclusive d'ananas et de pamplemousse, sous le prétexte erroné qu'ils seraient « mangeurs de graisse ». Il n'apporte aucune protéine et conduit donc à une fonte musculaire qui peut se révéler dangereuse.

Chrononutrition

Rien à redire, a priori, à une bonne répartition des aliments dans la journée et au choix de moments précis pour la consommation de certains d'entre eux. Toute consommation hors repas est prohibée, mais presque tous les aliments sont autorisés : de quoi donner envie de suivre ce régime ! Mais si l'on applique à la lettre les menus prévus, on consomme de 1 400 à 1 500 kcal par jour, avec environ 40 % pour les graisses, ce qui est plutôt élevé. Changement radical et inutilement rigide des habitudes alimentaires.

Les régimes dissociés

Là, il s'agit de manger de tout ou presque, mais pas au même moment. Par la consommation exclusive d'un seul produit (foie gras à volonté, mais sans pain) au cours d'un repas, c'est la saturation rapide de l'appétit qui est visée. Citons en vrac les méthodes « Antoine » (le chanteur devenu vendeur de lunettes...), « Shelton » ou « Montignac ». Plutôt efficaces à court terme, mais souvent le retour à une alimentation normale en fait perdre le bénéfice. Ces régimes sont, de plus, peu compatibles avec une vie sociale normale.

Les régimes d'exclusion

Ils consistent à supprimer un ou plusieurs aliments énergétiques. Les plus connus sont la méthode « Mayo », qui exclut les aliments sucrés, les féculents, les laitages et les graisses, les méthodes « Atkins » et « Hollywood » (consommation exclusive de fruits et légumes)... La perte de poids en début de régime peut s'avérer importante, mais les aliments supprimés sont sources de nutriments indispensables et les risques de carence en vitamines, protéines et minéraux sont élevés. Déséquilibre et monotonie, quand ce n'est pas fonte musculaire et fatigue extrême, conduisent souvent à un abandon du régime et à une reprise de poids.

Groupes sanguins

La mode récente, lancée par le naturopathe Peter d'Adiamo, consiste à choisir ses aliments en fonction de son groupe sanguin, certains étant « bons » pour un groupe et « mauvais » pour d'autres, auquel cas ils encrasseraient l'organisme et pourraient être à l'origine de certaines maladies. Du loufoque ou de l'arnaque complète ?

Moins déséquilibrés, mais...

Les diètes hyperprotidiques

Basées sur la consommation de poudres ou de boissons à base de protéines d'origine animales et/ou végétales (50 à 100 g de protéines par jour, soit 200 à 400 kcal), elles connaissent un grand succès car elles permettent de limiter la fonte musculaire. Les protéines rassasient rapidement, et même coupent l'appétit, ce qui aide à supporter les rations très hypocaloriques recommandées. La consommation d'aliments tels légumes, fruits et produits laitiers est réintégrée

pour certains repas. Parfois des compléments vitaminiques et minéraux sont nécessaires. Il est enfin indispensable de boire de grandes quantités d'eau, afin d'éviter des problèmes métaboliques. Incompatible avec une activité physique intense, cette approche présente l'inconvénient de ne pas remettre en cause les comportements alimentaires antérieurs et, là encore, les kilos reviennent au galop à l'arrêt du régime.

L'effet soupe

Il consiste à consommer aux repas principaux une simple soupe de légumes frais (celle aux choux est la plus connue !), ni mixée ni moulinée pour provoquer la satiété. Le reste de l'alimentation se compose d'aliments maigres et riches en protéines (fromage blanc ou yaourt à 0 %, poisson et viande maigre) et de fruits (en quantités limitées). Des compléments sous forme de gélules ou de tisanes (thé vert, ananas, queue de cerises) sont censés accélérer la perte de poids et l'élimination des graisses. Ce régime dure 7 jours suivis d'une semaine de stabilisation. Il permet bien sûr de perdre du poids, mais comme avec tout régime très hypocalorique, la reprise de poids est inévitable.

Les substituts de repas

Poudres aromatisées, à mélanger à du lait écrémé, ou préparations toutes prêtes (potages, crèmes-desserts), ils ont envahi les rayons des supermarchés. Le principe est de remplacer chaque jour un ou deux repas par une préparation pauvre en calories. Le substitut doit alors être complété par un fruit et un laitage. Ces préparations sont en général bien équilibrées sur le plan nutritionnel, le principal problème étant leur monotonie, de goût et de présentation.

Weight Watchers

L'objectif est de faire maigrir la personne non pas rapidement, mais sur du long terme, de façon équilibrée et sans causer de frustration. À chaque aliment correspond un nombre de points fixés sur la base de sa teneur en lipides et en calories. Chaque personne, selon son poids, son sexe et son âge, a droit à un certain nombre de points sur la journée. L'association Weight Watchers fournit des documents permettant de composer des menus équilibrés. Les résultats sont bons, en général, car la personne est soutenue par des réunions (groupes, entretiens individuels ou par correspondance). Seuls bémols : la démarche peut apparaître un peu obsessionnelle ou culpabilisante pour certains et les animatrices ne sont, hélas, jamais des professionnelles de la nutrition !

La véritable alimentation minceur n'exclut aucun aliment, ni aucun repas. Tout est question de dosage et d'équilibre !

Vous avez dit « Yo-Yo » ?

Les régimes restrictifs, rapides et déséquilibrés, qui abaissent le poids au-dessous de la « normale », font perdre de la masse maigre (musculaire), laquelle sera, à la première occasion, remplacée par de la masse grasse (tissu adipeux). Confronté à un phénomène qui, même appelé

« régime », ressemble comme deux gouttes d'eau à un épisode de famine, l'organisme réagit en facilitant le processus de mise en réserve ; il n'est plus besoin de lui donner beaucoup pour qu'il se mette à stocker ! Quelle que soit la volonté des personnes qui les suivent, les régimes à répétition conduisent donc paradoxalement à une prise de poids : c'est le phénomène du « Yo-Yo ».

Quelques mois, oui !
Une semaine certainement pas !

Le temps est une donnée majeure du régime. Du moins si vous ne voulez pas mettre votre santé en danger. Un régime rapide et drastique fait certes perdre de la graisse, mais aussi de l'eau et du muscle. Or, les muscles ne sont pas qu'une affaire de force, ils consomment des calories. Plus on en a, et plus on brûle. Développer la masse maigre au détriment de la masse grasse est favorable à la minceur.

Moins, moins, moins,
sinon le poids revient

La perte de poids entraîne des processus métaboliques de « ralentissement », car la dépense énergétique de repos est moins importante. Pour maintenir le même poids de forme, une personne obèse qui a maigri devra ainsi absorber moins de calories que quelqu'un qui n'a jamais été au régime. Cette dure réalité explique le fort taux d'échec des régimes, et fait dire à beaucoup de spécialistes que la meilleure façon de ne pas prendre de poids est sûrement de ne jamais commencer de régime...

Oublier les « calories vides »

Comme on ne peut pas prétendre se maîtriser 24 h sur 24, il faut apprendre à « grignoter intelligent ». La précaution élémentaire consiste à ne pas avoir chez soi des produits faciles à consommer, très énergétiques mais qui n'entraînent pas la satiété (les diverses chips et aliments gras-sucrés). Et, tant qu'à craquer, autant choisir des aliments 'laitages ou fruits par exemple), qui permettent de moins manger au repas suivant et de calmer la faim de façon plus durable.

Tout changement de comportement alimentaire s'aborde avec prudence : c'est-à-dire progressivement et dans la durée. Avoir recours aux conseils d'un diététicien est recommandé.

Comment évaluer un juste équilibre alimentaire ?

des aliments aux nutriments

Nous mangeons des aliments (viandes, poissons, fruits, légumes, produits laitiers...). Notre corps utilise des nutriments (protides, lipides, glucides, vitamines, minéraux...). Comment passe-t-on des uns aux autres ? Au cours de la digestion, notre tube digestif dilue, acidifie et broie les aliments afin d'en extraire les nutriments, qu'il assimile, tandis qu'il élimine les déchets inutilisables.

Les protéines

Qu'elles soient d'origine animale ou végétale, les protéines servent à la construction de nos muscles, de nos tissus, mais aussi à la fabrication des enzymes, qui favorisent certaines réactions chimiques dans notre organisme, et des immunoglobulines, au rôle fondamental dans le fonctionnement de notre système immunitaire. Ce sont d'assez grosses molécules, constituées d'un assemblage d'éléments plus petits : les acides aminés.

Vingt acides aminés existe dans la nature, parmi lesquels 8 (9 chez l'enfant) sont appelés acides aminés indispensables, parce que le corps ne peut pas les synthétiser et qu'ils doivent donc, impérativement, être apportés par l'alimentation.

Les lipides

Nutriments à la fonction énergétique, les lipides jouent également un rôle important pour la peau, les membranes de nos cellules, le cerveau et la production d'hormones. Tous sont caractérisés par la présence, au sein de molécules plus ou moins complexes, d'acides gras, saturés ou insaturés.

Certains acides gras polyinsaturés sont dits essentiels (AGE) : l'acide linoléique, avec la série des Omega-6, et l'acide alpha-linolénique, avec la série des Omega-3. Les AGE protègent des maladies cardio-vasculaires en favorisant le bon cholestérol, au détriment du mauvais.

Les glucides

Les glucides, ou hydrates de carbone, résultent de l'assemblage d'un nombre variable d'« oses », encore appelés sucres (attention pas le sucre que

l'on met dans le café, le saccharose qui, lui, réunit 2 oses). Ils sont classés en fonction de la complexité de leur structure : un glucide composé d'un grand nombre d'oses est appelé sucre complexe comme l'amidon, présent dans les féculents et les céréales ; à l'inverse, s'il ne comporte qu'1 ou 2 oses, il est dit sucre simple.

Les vitamines

Leur nom l'indique, elles sont vitales pour l'organisme, qui est incapable de synthétiser la plupart d'entre elles, ou du moins d'en fabriquer des quantités suffisantes... Au nombre de 13, elles sont classées selon le liquide dans lequel elles sont solubles :

• solubles dans l'eau (hydrosolubles), ce sont les

Attention, substances fragiles !

Certaines vitamines sont sensibles à la chaleur, d'autres à la lumière. Stockez donc vos aliments au frais et dans la pénombre ; réduisez le temps de cuisson et évitez de réchauffer ou de maintenir vos préparations au chaud trop longtemps. En outre, la majorité des vitamines des fruits et des légumes se trouvent dans leur peau ou dans leurs couches superficielles et sont hydrosolubles : épluchez au minimum et, plutôt que de laisser tremper, optez pour un lavage sous l'eau courante. Coupez vos légumes le moins possible et au dernier moment. Sauf pour la soupe, prohibez les cuissons dans un grand volume d'eau ; préférez les cuissons à l'étuvée ou à l'autocuiseur.

calcium) entrent dans la constitution de nos os, d'autres (comme l'iode) ont un rôle fondamental dans le fonctionnement de certaines hormones.

On distingue les macroéléments (calcium, magnésium, phosphore, sodium, potassium, chlore), minéraux dont les besoins journaliers sont exprimés en grammes ou en centaines de milligrammes, et les oligo-éléments (fer, zinc, cuivre, sélénium, manganèse, iode, fluor, molybdène, chrome…), présents dans l'organisme à l'état de traces, et pour lesquels quelques milligrammes, voire microgrammes, suffisent.

vitamines B1, B2, B3, B5, B6, B8, B9, B12 et C ;

• solubles dans les lipides (liposolubles), il s'agit des vitamines A, D, E et K.

Dépourvues de toute valeur énergétique (calorique), elles sont apportées majoritairement par la nourriture, mais également par l'hygiène de vie, comme la vitamine D, qui permet de fixer le calcium.

Pour faire le plein de vitamines, consommez à chaque repas au moins une crudité (fruit ou légume) et un produit laitier, ainsi que du beurre et de l'huile, crus de préférence. Promenez-vous au moins un quart d'heure par jour en laissant mains et visage à l'air libre, pour permettre la synthèse de la vitamine D.

Minéraux et oligoéléments

Les minéraux et les oligoéléments ne constituent que 3 à 4 % du poids du corps. Pourtant eux aussi sont indispensables à la vie. Certains (comme le

Les fibres

On les trouve essentiellement dans les céréales, les fruits et les légumes, frais ou secs, et dans certaines tubercules comme les pommes de terre. Celles qui font partie de l'enveloppe du végétal sont généralement insolubles (et plutôt « dures ») ; celles de l'intérieur du végétal, plutôt solubles (dans l'eau). La teneur en fibres est très variable d'un aliment à l'autre et elle n'est pas (contrairement à une idée reçue) toujours très élevée dans les légumes frais et les fruits, surtout s'ils sont riches en eau : 1 g dans 100 g d'asperge, 2 g dans 100 g de pomme ou d'abricot, à peine 3 g dans 100 g de poireau, mais 6 g pour 100 g de petits pois, 7 g pour 100 g de lentilles, 8 g pour 100 g de dattes séchées, 9 g pour 100 g d'artichaut...

Ces substances végétales ont la particularité de ne pas être transformées par les enzymes de la digestion, et c'est bien en cela qu'elles sont intéressantes pour l'organisme. Leur présence dans le tube digestif modifie l'absorption de certains nutriments : stabilisant l'absorption du glucose, elles contribuent à diminuer les hyper et les hypoglycémies.

D'autres effets concernent l'intestin où, à la fois lest et stimulant, elles agissent sur la vitesse du transit. Une dernière action, limitée, mais néanmoins réelle, résulte du ralentissement que les fibres provoquent sur la vidange gastrique et de l'étalement dans le temps de l'absorption des nutriments énergétiques. La phase de jeûne et la sensation de faim s'en trouvent retardées.

À noter que les fibres des fruits et légumes sont plus intéressantes du point de vue nutritionnel que celles données en compléments alimentaires, car elles apportent en même temps des minéraux, des oligoéléments et des vitamines anti-oxydantes (C et E).

à chaque aliment, ses intérêts

L'aliment unique idéal, apportant tous les nutriments nécessaires au bon fonctionnement de l'organisme,

n'existe pas. Fort heureusement, notre nature d'omnivores nous a appris à combiner judicieusement plusieurs

catégories d'aliments, lors des repas, afin d'obtenir énergie, bonne santé générale et plaisir de manger.

Chaque aliment a son utilité propre pour l'organisme, et tous sont utiles ensemble, consommés à une fréquence régulière et dans des proportions variables en fonction de l'âge et de l'activité physique de la personne. Savoir jouer avec la diversité, la variété et les quantités garantit non seulement un bon équilibre alimentaire, mais la liberté des goûts personnels.

La pyramide alimentaire

Les professionnels de santé et les autorités qui déterminent les apports nutritionnels conseillés se sont engagés dans des mesures d'éducation. Ils ont proposé des visuels de référence. La pyramide alimentaire, utilisée dans de nombreux pays, est actuellement celui qui se lit plus facilement. Il s'agit d'une représentation symbolique, où les 7 groupes alimentaires sont répartis par étages en fonction des fréquences de consommations, les quantités variant selon les sexes, l'activité physique et les tranches d'âges.

• Eau

On ne boit pas pour satisfaire ses besoins en calcium, ou en magnésium (même si l'eau peut en contenir). L'eau nous sert essentiellement à réhydrater notre organisme, dont elle représente 60 à 70 %. Elle est tout simplement indispensable.

Il est recommandé de boire au moins 1,5 l par jour

De la base au sommet de la pyramide, de la plus grande quantité à la moindre, il est recommandé de consommer quotidiennement :

.• Féculent et céréales (pain, pommes de terre, semoule, blé à cuire, légumes secs, riz, pâtes...)

Ils apportent énergie, vitamines du groupe B et fibres. Il est recommandé d'en consommer une fois par jour, et du pain (en variant) à tous les repas.

• Fruits et légumes (frais, surgelés, ou en conserve)

Ils apportent vitamines, oligo-éléments, un peu de fibres et beaucoup d'eau.

Il est recommandé de consommer au moins 2 fruits par jour ; des légumes verts cuits une fois, des crudités au moins une foi par jour.

• Les produits laitiers

Ils apportent calcium, protéines, vitamines A, B, D, E.

Il est recommandé d'en consommer à chaque repas (soit 3 à 4 par jour).

• Les viandes (y compris jambon et charcuteries maigres), **les poissons et fruits de mer, les œufs**

Source de protéines et vitamines (la viande apporte aussi du fer, il est recommandé d'en consommer au

moins une fois par jour (pour les abats comme le foie : une fois au maximum par semaine).

• **Les matières grasses** (huiles diversifiées, beurre, crème fraîche, margarine)

Pour l'énergie, les vitamines A, D et E, les acides gras essentiels et... pour le goût. Il faut en user sans en abuser, un peu à chaque repas et de préférence sans les cuire.

• **Les produits sucrés**

Ils ont peu d'intérêt nutritionnel réel. On les consomme pour le plaisir, qui sera d'autant plus grand que leur usage sera subtil et modéré.

Une journée alimentaire type

Il existe des interrelations nutritionnelles étroites et complexes entre les différents nutriments au niveau de leurs effets physiologiques. C'est pourquoi tous les aliments évoqués dans la pyramide doivent être présents dans une alimentation quotidienne. Cependant l'équilibre alimentaire ne se fait pas sur un repas mais sur la journée, et sa variété se décline sur la semaine. À adapter en fonction des contraintes :

Petit déjeuner

• 1 boisson (thé, café, eau),

La pub, colin-maillard des temps modernes

Dans ce monde apparemment simple et évident, d'insistants messages tendent parfois à obscurcir le bon sens, à brouiller nos certitudes. Le marketing, qui s'est développé dans le but d'influencer le marché, « booste » des produits, dont il vante tel ou tel mérite, allant même jusqu'à laisser supposer qu'ils peuvent tenir le rôle d'aliment universel.

Chacun connaît, par exemple, l'intérêt du lait relativement aux apports en calcium (même s'il contient aussi des protéines et des vitamines). Vaut-il mieux, dès lors, chercher à couvrir vos apports calciques quotidiens, en buvant de l'eau minérale, en grignotant des biscuits qui contiennent quelques gouttes de lait, ou des barres chocolatées dont on vous assure que la consommation de l'ensemble du paquet garantit un apport calcique conforme aux recommandations... ou tout simplement boire du lait et manger des produits laitiers ?

L'aspect outrancier de certaines campagnes peut aussi produire l'effet inverse de celui escompté. Sur des produits aussi simples que les fruits et légumes, aliments « nutritionnellement corrects » par excellence, correspondant à la recherche autant du plaisir que de la santé, on observe une contradiction entre leur bonne image et leur faible consommation : 10 % seulement des Français en mangent 5 par jour. Pourquoi un si faible score ? Fragilité ou coût élevé des denrées ? Profusion qui perturbe ? Pour ceux qui ne consomment pas de fruits et légumes, ou juste un de temps en temps, il semble difficile de passer à 5 par jour, alors parler de 10 par jour consiste sans doute à placer la barre un peu trop haut !

- 1 fruit ou jus de fruits,
- 1 produit céréalier : céréales pour petit déjeuner, pain ou biscottes avec éventuellement beurre, margarine, miel ou confiture,
- 1 produit laitier (lait, yaourt, fromage blanc...).

Déjeuner et dîner

- 1 entrée à base de crudités (légumes crus) ou légumes cuits ou potage,
- 1 viande, volaille, jambon, poisson ou œufs...,
- 1 féculent (pomme de terre, pâtes, riz, légumes secs...) et/ou des légumes cuits : une portion au choix à chaque repas ou une demi-portion de chaque à chacun des repas,
- 1 produit laitier : fromage ou yaourt ou fromage blanc,
- 1 fruit cru, cuit ou en compote.

Plus, à répartir sur la journée

- 1 à 1,5 L d'eau, pure ou aromatisée mais non sucrée,
- des matières grasses : huiles et beurre (ou crème fraîche) utilisées de préférence cru,
- un morceau de pain à chaque repas.

De la souplesse avant toute chose

Cela paraît si simple ! Consommer de façon équilibrée devrait être un geste... naturel. Il n'en est rien. Déjà, bien connaître les groupes alimentaires n'est pas une évidence pour tous ; ensuite savoir les mettre en scène, avoir les bons produits au bon moment, enfin être équipé pour les préparer tient de la quadrature du cercle. Et puis, il est quand même plus facile de manger une pizza livrée en 30 minutes chrono avec une glace à la crème qu'un repas composé d'une entrée, d'un plat, d'un produit laitier et d'un dessert. Les aliments tout prêts et nourrissants calment rapidement la faim. Et les enfants rechignent de plus en plus devant les saveurs des mets traditionnels plus équilibrés.

Quand on parle équilibre alimentaire, un vent de panique souffle la culpabilité et engendre, selon les individus, la colère ou le découragement. Oh ! Ne pourrait-on convenir une fois pour toutes que changer ses habitudes alimentaires est difficile, et qu'il vaut mieux débuter sa nouvelle approche nutritionnelle en modifiant les rythmes de vie autour des repas, afin de se redonner envie et plaisir à prendre soin de son alimentation ? Mieux vaut être souple et « tendre vers l'équilibre » plutôt que d'interdire. On peut ainsi dire qu'il faut manger de tout, c'est simple et moins traumatisant. Ou valoriser l'acte de cuisiner et de dresser une jolie table. Changer les comportements en douceur par des petites nouveautés qui simplifient la vie au lieu de la compliquer. Rien de tout cela ne fait grossir !

le rythme des repas

Jeûner, déjeuner (le petit), jeûner, déjeuner (de midi), jeûner, dîner (tiens ! mais, bien qu'allégé de 3 lettres,

ce mot signifie aussi « rompre le jeûne »). Ainsi se déroule, sur 24 heures, une succession de prises

alimentaires, d'importance variable, et de périodes d'abstinence, plus ou moins longues. Entre plaisir, stress

et désir de minceur, comment trouver le rythme, les aliments et les quantités favorables à la santé ?

Structurer les prises alimentaires

La séquence alimentaire spontanée chez l'homme qui dispose de nourriture à volonté fait apparaître trois ou quatre repas à heures fixes pendant la période diurne et aucune consommation nocturne. On pourrait penser que ce programme résulte de contraintes socioculturelles, mais des études menées sur les nouveau-nés suggèrent qu'il s'établit spontanément, tandis que d'autres, portant sur des adultes, montrent qu'il perdure même en l'absence de repères horaires.

Cependant, les contraintes de la vie quotidienne tendent à brouiller les messages de nos horloges biologiques : les repas de midi sont la plupart du temps pris soit à la cantine, scolaire ou d'entreprise, soit au restaurant, « sur le pouce »... Les menus du soir de la semaine se définissent le week-end, entre grandes surfaces et marché, et s'égrènent en fonction de l'état du frigo, puis du congélateur, des restes qui se travestissent pour éviter le « déjà-vu », des courses d'appoint, de l'efficacité ou de la stratégie que développent les femmes, en évitant d'écornifler la douce image de mère nourricière.

Une autre déstructuration fatale à nos fragiles équilibres vient de l'oubli ou du mépris de 3 règles d'or : un repas dure au moins 20 minutes ; il se prend assis, autour d'une table ; on le partage, autant que possible, avec la famille ou des amis. Mais les sondages révèlent que 40 % d'entre nous mangent de 6 à 15 fois dans la journée. Banalisé sous l'innocente appellation de grignotage, le phénomène est l'une des principales causes de l'augmentation actuelle de la prévalence de l'obésité.

Petit déjeuner de roi à la portée de tous

Le matin, refaire le plein d'énergie s'impose pour favoriser l'attention, la concentration, la bonne humeur, pour éviter le « coup de pompe de 11 h » et les grignotages intempestifs. Selon les recommandations officielles, le petit déjeuner devrait fournir 25 % de l'apport énergétique quotidien recommandé. Le « sauter », c'est non seulement imposer à son organisme un jeûne d'environ 16 heures (du dîner de la veille au repas de midi), mais c'est aussi se mettre en danger de consommer, dans le cours de la journée, une

alimentation globalement plus riche en graisses et d'en profiter plus, car l'organisme, confronté à une situation de pénurie, réagira en favorisant le stockage. Paradoxalement, l'absence de petit déjeuner peut donc favoriser la prise de poids.

Il importe de commencer la journée en réhydratant l'organisme. Le petit déjeuner comporte obligatoirement une boisson à base d'eau, nature ou parfumée (café, thé). De plus, trois aliments sont indispensables :

- un fruit (de préférence frais) ou un jus de fruit, assure un apport en vitamine C, mais également en fibres.

- du lait ou un produit laitier constitue la meilleure source de calcium pour nos os. L'un comme l'autre apporte aussi des protéines de bonne qualité ainsi que des vitamines (A, D, groupe B).

- un produit céréalier enfin (pain, biscottes, céréales…), riche en glucides, qui sont le carburant des muscles, dispense l'énergie dont notre corps a besoin pour vivre.

On peut y ajouter du beurre, pour la vitamine A et pour le goût ; du miel ou de la confiture pour le plaisir. On peut choisir une jolie vaisselle, amusante pour les enfants. On peut consacrer plus de 5 minutes à ce repas qui va conditionner la qualité de la journée.

Pour la réhabilitation du goûter

Le goûter, repas très léger, a conservé une connotation juvénile. Toutefois, outre les enfants et les adolescents, il concerne des catégories particulières d'adultes : les femmes enceintes ou qui allaitent, les sportifs, les personnes âgées ou tout simplement ceux qui mangent peu à midi. Un goûter équilibré répond à des besoins accrus soit en énergie, en calcium et/ou en protéines (croissance, grossesse…) ; il permet aussi d'éviter de « craquer » pour des aliments riches en calories mais pauvres en vitamines et minéraux (viennoiseries, sodas…) le soir en rentrant du travail ou en préparant le repas !

Selon les personnes, le goûter peut avoir différentes compositions :

- **Enfants et adolescents** : un chocolat au lait ou un yaourt à boire avec des tartines beurrées apporte énergie, calcium et protéines pour une croissance réussie ;

Les vertus du goûter

L'analyse d'un sous-échantillon de l'étude SUVIMAX (3 352 femmes de 35 à 60 ans et 2 485 hommes de 45 à 60 ans), montre que la consommation d'un quatrième repas est plus répandue chez les femmes que chez les hommes : 33,6 % des femmes et 17,6 % des hommes sont des « goûteurs » réguliers (5 à 6 jours sur 7). Chez ces sujets, la moyenne des apports énergétiques provenant de ce quatrième repas représente respectivement 11 % et 8 % des apports quotidiens.

- **Femmes enceintes** : un yaourt, un fruit et une menthe à l'eau permettent la couverture des besoins spécifiques à la grossesse et évitent les petits maux tels fringales et les coups de barre, les nausées et les aigreurs d'estomac...
- **Sportifs** : une barre de céréales et un berlingot de lait concentré font un goûter facile à transporter et permettent de reconstituer les réserves d'énergie dont le muscle a besoin après l'effort ;
- **Seniors** : une crème à la vanille, 2 madeleines et une tasse de thé : jouer le plaisir pour faire face aux baisses d'appétit et compenser certains déséquilibres.

Perspective réjouissante, enfin : augmenter volontairement la fréquence des repas sans modifier l'apport énergétique global pourrait être bénéfique sur le plan de l'adiposité et du bilan lipidique.

Il semble dès lors que la pratique du goûter, ce quatrième repas, puisse être recommandée, même dans le cadre d'une perte de poids programmée !

Cinq arguments pour le petit déjeuner

- Pas le temps de prendre un petit déjeuner ? Préparez la table la veille.

- Pas vraiment faim le matin ? Pour vous ouvrir l'appétit, rien de tel qu'un grand verre d'eau ou de jus de fruits au réveil.

- Rien ne passe au petit déjeuner ? Prévoyez une collation pour la matinée : biscuits + 1 briquette de lait, ou 1 pain au lait + 1 barre de chocolat + 1 jus de fruit, ou pain + fromage + eau, ou encore 1 fruit + 1 yaourt à boire...

- Vous n'aimez pas le lait ? Il suffit de le remplacer par un autre produit laitier, au choix (yaourt, fromage blanc, fromage) ou de l'incorporer à des préparations (riz ou semoule au lait, crème pâtissière, flan).

- Pas d'idée pour le petit déjeuner ? En voilà :

  - café + yaourt + brioche + beurre + orange pressée

  - thé + pancakes au sirop d'érable + fromage blanc et compote

  - café + Muesli + lait + salade de fruits frais

  - chocolat chaud + gâteau au yaourt « maison » et pamplemousse

  - pain complet + fromage ou charcuterie + café ou thé + fruits frais

  - café au lait + gâteau de semoule aux raisins + salade d'orange

vers de nouvelles habitudes : gérer son
alimentation, ses achats... et le reste

un petit test pour débuter

Pour chaque aliment vous avez le choix entre trois possibilités selon que vous les consommez tous les

jours, au moins une fois par semaine ou moins souvent. Entourez la case qui correspond le mieux à vos

habitudes (une seule par ligne) et calculez vos points.

Aliments	Tous les jours		Toutes les semaines		Moins souvent	
	2-3 fois	1 fois	5-6 fois	3-4 fois	1-2 fois	ou jamais
Lait ou yaourt ou fromage	A	B	C	D	E	F
Viande ou poisson, ou œufs	C	A	B	D	E	F
Légumes ou fruits crus	A	B	C	D	E	F
Légumes ou fruits cuits	A	B	C	D	E	F
Pain, pommes de terre, riz, pâtes ou légumes secs	A	B	C	D	E	F
1 noix de beurre et 1 cuillère à soupe d'huile	C	A	B	D	E	F
2 grands verres d'eau (1/2 litre)	A	B	C	D	E	F

A	+ 10 points
B	+ 5 points
C	+ 4 points
D	+ 2 points
E	+ 1 point
F	- 10 points

Votre score

51-70 points : vous êtes un(e) champion(ne) de l'équilibre alimentaire.

31-50 points : la balance penche, quelques petits efforts seront nécessaires pour rééquilibrer votre alimentation.

30 points ou moins : les conseils d'un(e) diététicien(ne) seraient sûrement utiles.

petit mémo pour acheter malin

Fraises somptueuses venues d'un pays où vous rêvez d'aller, produits de luxe rangés par marque comme

des bibelots sur une étagère, friandises allégées vantées par d'authentiques mannequins... Dans la profusion

des produits qui vous tendent la main, lesquels vous feront réellement du bien ? Quelques idées plus une

suggestion : méfiez-vous des apparences !

Pas une ride et toujours là pour vous servir : la conserve

On la met du linéaire dans le caddie. Elle tient peu de place dans les placards. On la garde sans précautions particulières. On l'ouvre sans même y penser. On la mange vite ou on la savoure... Pratique et toujours prête à l'emploi, la conserve est un produit qui, de plus, ne craint pas la rupture de la chaîne du froid...

Avec la conserve, à peine cueilli, le produit est stérilisé et prié de garder son « naturel ». Mis en boîte au plus près de son lieu de récolte, il ne subit pas les aléas du transport, auxquels sont soumis les produits frais. Dépourvue de date limite de consommation (DLC), la conserve garde sa valeur nutritive longtemps. Tout au plus a-t-elle une date limite d'utiisation optimale (DLUO), de l'ordre de 2 à 5 ans : passé ce délai, elle reste consommable, car préservée de la corrosion et du pourrissement : au pire, sa qualité gustative peut se trouver modifiée.

Bio or not bio ?

D'un point de vue strictement nutritionnel, aucun argument n'est favorable au « bio » (logo AB, pour Agriculture Biologique), ni en terme d'influence sur l'état de santé. En outre manger « bio » n'a jamais été le gage d'équilibre. Même bio, des produits mal choisis peuvent présenter des caractéristiques d'apports, par exemple, en graisses cachées semblables aux produits non bio. Tout est, ici encore, question de choix.

En revanche, au niveau du goût, la différence est là, bien perceptible en général. Et ce pour une raison assez simple : les produits sont commercialisés à maturité et respectent mieux l'environnement.

Le souci de l'environnement

Il faut, en effet, savoir prendre ses distances avec le luxe vain qui consiste à pouvoir manger du melon en hiver et des tomates en toute saison : n'importe quoi n'importe quand. Manger des aliments « lointains » ou simplement non régionaux implique une lourde facture énergétique et environnementale : ainsi, manger un kilo d'asperges en juillet ne consomme qu'un demi-litre de pétrole contre 5 litres si nous les dégustons en décembre.

Nous devons, par ailleurs, être conscients de notre responsabilité envers les pays émergents. Un exemple parmi d'autres : certains légumes consommés en hiver, comme les haricots verts, proviennent d'Afrique ; or ces cultures maraîchères appauvrissent des terres à l'écosystème précaire.

Du bon usage des produits allégés

Panorama rapide pour ne pas tomber dans le panneau « allégé » :

Les boissons allégées ou light restent des boissons au goût sucré. On peut être tenté de les consommer en pensant moins grossir. Mais il faut savoir que les boissons light contiennent un édulcorant de synthèse (qui donne le goût « sucré », le plus souvent aspartam ou acésulfam) qui entretient le goût inné pour le sucre. Plus on en boit plus on en a envie.

Toutefois, l'utilisation modérée de ces substituts de sucre est envisageable pour conserver le plaisir sans l'apport en « calories vides ».

Une bonne gestion des stocks

Indépendamment des achats que vous pouvez faire au jour le jour ou à la semaine, voici un minimum « idéal » à avoir en permanence chez soi. Les aliments mentionnés se conservent longtemps et vous permettent d'improviser des repas si vous n'avez pas eu le temps de faire des courses.

DANS LE PLACARD

- Biscottes et pain de mie longue conservation
- Café, thé, tisanes
- Céréales pour le petit déjeuner (de type Corn Flakes)
- Chocolat noir en tablette (pour des desserts improvisés)
- Compotes de fruits sans sucre ajouté, conserves de fruits au naturel (pas au sirop)
- Confiture (sans sucre ajouté, meilleure et moins calorique) et miel
- Conserves d'asperges, de carottes, de champignons émincés, cœurs de palmiers, haricots (verts et beurre), maïs au naturel, petits pois et tomates pelées entières ou concassées
- Cornichons, olives
- Farine
- Fonds de volaille et de veau, fumets de poissons, déshydratés ou en cube,
- Herbes et épices déshydratées : sel, poivre, basilic, cannelle, curry, noix de muscade, persil...
- 100 % purs jus de fruits
- Lait demi-écrémé
- Légumes secs : lentilles, pois cassés, pois chiches, haricots blancs et rouges
- Levure chimique ou boulangère
- Moutarde
- Riz, pâtes (de formes et couleurs différentes), semoule (moyenne et fine), blé, quinoa, boulgour
- Soupes de légumes en brick ou déshydratées

- Sucre en poudre
- Sucre vanillé
- Thon en conserve au naturel
- Une huile de mélange
- Vinaigre

AU RÉFRIGÉRATEUR

- Beurre (doux ou demi-sel) à tartiner
- Crème fraîche à 15 % de MG
- Fromage à pâte pressée cuite (comté, emmenthal)
- Fromage blanc à 20 % de MG
- Jus de citron concentré en petite bouteille
- Œufs
- Rôti de dindonneau, jambon cuit découenné et dégraissé, jambon cru et bacon
- Yaourts nature au lait 1/2 écrémé

AU CONGÉLATEUR

- Filets ou pavés de poissons, non cuisinés
- Légumes non cuisinés : brocolis, brunoise ou julienne de légumes, chou-fleur, cœurs d'artichaut, courgettes en rondelles, épinards, macédoine de légumes
- Oreillons de quetsches, d'abricots, de mirabelles, billes de melon, mangues, fruits rouges
- Pain congelé par vos soins,
- Sorbets aux fruits
- Steaks hachés à 5 % de matière grasse

Pour la crème fraîche allégée ou le beurre allégé, là le gain calorique est réel : 41 % de matières grasses dans le beurre allégé contre 82 % dans le classique, 15 % (voire moins !) dans la crème allégée contre 30 %. Sachez tout de même que, compte tenu de la réduction des apports en graisses, il faut bien les remplacer par autre chose ; et en général, par de l'eau.

Quelques réserves générales sur ces produits

- **le coût** : bien souvent vous payez cher un déficit calorique par rapport au produit standard. Faites vous-même votre vinaigrette allégée en remplaçant une partie de l'huile par de l'eau. Ce que font les fabricants ! Regardez bien les étiquettes !

- **la langue de bois du marketing** : beaucoup de discours publicitaires vous font prendre « des vessies pour des lanternes ». Quand un produit laitier affiche avantageusement la mention « seulement 5 % de MG », gardez-vous de penser que vous avez trouvé la perle rare ! Le lait entier en affiche, lui, « seulement » 3,5 %, or bien souvent vous le trouvez trop gras… Exemple analogue avec le chocolat allégé : moins de gras mais plus de sucre. Sachez lire les étiquettes, comparez des produits similaires et garder votre sens critique.

- **le goût**, pas toujours au rendez-vous. Supprimer le sucre et le gras nécessite d'ajouter des arômes, des exhausteurs de goût, des stabilisants, entre autres choses. Pour éviter de perdre trop en goût, bon nombre de produits

qui mentionnent « 0 % de MG » ont le même taux de sucre que le produit normal ; ainsi le gain calorique est-il souvent faible.

Savoir lire les étiquettes

Pour les produits préparés par l'industrie agroalimentaire, savoir lire les étiquettes est la seule solution si l'on veut avoir une idée de ce que l'on consomme vraiment. Même imprimées en tout petit, les mentions renseignent déjà beaucoup le consommateur attentif et averti, à la condition qu'il compare entre eux des aliments comparables.

On peut ainsi rapprocher les valeurs nutritionnelles moyennes pour 100 g (tableau présent sur la plupart des emballages) d'un yaourt et d'un fromage, mais pas d'un yaourt et d'un biscuit, les deux n'apportant pas, pour l'essentiel, les mêmes nutriments. On peut, par contre, associer les deux par plaisir, et calculer combien de calories ils nous apporteront en tout !

Une autre astuce consiste à lire la liste des ingrédients, qui figure obligatoirement sur les emballages. Ils sont toujours classés par quantité représentative décroissante, le premier étant l'ingrédient le plus important du produit.

Découvrez ainsi certains produits allégés où l'on a supprimé du gras… mais rajouté du sucre. Et concluez, avec un fin sourire, que marketing et équilibre alimentaire n'ont pas les mêmes intérêts : chacun son camp !

modes de cuisson

La cuisson différencie l'alimentation de l'homme de celle de l'animal. Et du silex jusqu'à la table à induction

ou au four micro-ondes, elle n'a jamais cessé de diversifier ses modes et ses techniques. Si la cuisson a pour

première fonction de rendre l'aliment plus digeste, elle permet aussi de varier les recettes, de rendre une

préparation plus nourrissante ou plus légère. Foin des fritures, cuisinons sain !

Les cuissons ancestrales : gril, barbecue et broche

Tout le monde apprécie la saveur caractéristique d'une viande ou d'un poisson grillé : leurs arômes proviennent de composés qui se forment au cours de la cuisson entre les glucides et les protéines. Elles correspondent à une sorte de caramélisation d'où les bonnes odeurs et les belles couleurs.

Pas besoin d'ajouter de matière grasse. De plus, les viandes et les poissons perdent une partie de leurs graisses. L'aliment étant saisi dès le début de la cuisson, il se forme une croûte en surface, qui préserve les nutriments à l'intérieur.

Toutefois, il faut éviter trop de contacts directs avec la flamme ; mieux vaut laisser sur le bord de son assiette les parties brûlées, indigestes.

CES MÉTHODES CONSTITUENT UNE BONNE ALTERNATIVE AUX FRITURES TOUT EN OFFRANT COULEUR ET CROUSTILLANT AUX ALIMENTS. CEUX, À TEXTURE DÉLICATE, POURRONT ÊTRE MARINÉS AVANT CUISSON POUR ÉVITER TOUS AJOUTS EXCESSIFS DE MATIÈRES GRASSES. PENSEZ À NETTOYER SOIGNEUSEMENT LES GRILLES DE CUISSON POUR ÉVITER DES GOÛTS DÉSAGRÉABLES.

Avantages : Goût caractéristique, couleurs agréables, pas d'usage de matières grasses, utilisation de nombreuses herbes et aromates pour varier les plaisirs.

Inconvénients : Pas d'usage quotidien, car la mise en œuvre prend un peu de temps (nécessité de braises ou de charbon de bois, nettoyage parfois délicat des systèmes électriques ou à gaz).

Variantes : Vous pouvez utiliser le gril de votre four afin de cuire de petites pièces facilement saisies par la chaleur. Surveillez attentivement la cuisson, l'aliment se transforme vite en morceau de charbon !

Les fritures, sautés, les cuissons à la poêle, à l'étuvée ou au wok

Ces modes de cuisson impliquent des matières grasses. Ils ne sont pas interdits, mais à gérer en terme de fréquence de consommation !

Dans le cas des fritures, les aliments, plongés dans une huile chauffée à 180 °C, sont saisis, c'est-à-dire qu'une croûte qui se forme en surface limite les pertes de substances nutritives. Du point de vue nutritionnel, l'aliment absorbe une partie de la matière grasse de cuisson : plus la cuisson est longue et les morceaux petits, plus la quantité de matière grasse de cuisson absorbée par les aliments sera importante (jusqu'à 10 % de son poids pour des pommes de terre frites !).

UTILISEZ DES USTENSILES À REVÊTEMENT ANTIADHÉSIF. TRÈS PERFORMANTS, ILS DISPENSENT DE L'AJOUT DE MATIÈRES GRASSES, À CONDITION DE LES UTILISER TOUJOURS À CHAUD AFIN DE SAISIR LES ALIMENTS, DE CUIRE À FEU VIF ET DE SALER APRÈS CUISSON.

IL FAUT FILTRER L'HUILE DE CUISSON ENTRE CHAQUE UTILISATION (POUR EN RETIRER LES PETITS FRAGMENTS D'ALIMENTS) ET LA CHANGER RÉGULIÈREMENT AVANT QU'ELLE NE BRUNISSE. SI CES PRÉCAUTIONS SONT RESPECTÉES, LE MÊME BAIN DE FRITURE, STOCKÉ AU FRAIS, PEUT RESSERVIR 5 À 8 FOIS SI SES UTILISATIONS NE SONT PAS TROP ESPACÉES. PENSEZ À ÉGOUTTER LES ALIMENTS AINSI CUITS SUR UNE FEUILLE DE PAPIER ABSORBANT.

Avantages : Goût caractéristique, couleur agréable, cuissons longues pouvant être intéressantes pour les morceaux de viandes de « 2e catégorie » (macreuse, paleron, gîte...).

Inconvénients : L'utilisation de matières grasses cuites, bien sûr !

Variantes : On peut maintenant trouver des « feuilles de cuisson » qui permettent d'utiliser la poêle sans avoir recours à des matières grasses.

Rien de plus beau que la cuisson dans l'eau ?

Cette technique attendrit les fibres des végétaux et les viandes de 2e catégorie (gîte, paleron, macreuse...). Elle casse les grosses molécules d'amidon des féculents en plus petites, assimilables par l'organisme. Elle nous permet ainsi de consommer toute une gamme de produits secs mais délicieux, comme les lentilles, le riz ou les pommes de terre. Cependant une partie des minéraux et des vitamines (du groupe B et C) est détruite par la chaleur, et une autre se perd par diffusion dans l'eau. Pour limiter ces pertes, il faut commencer la cuisson dans l'eau bouillante et éviter de la prolonger plus que nécessaire. En outre, plus les aliments sont découpés petits, plus les pertes sont importantes. Même si le temps de cuisson est plus long, il est ainsi préférable de cuire les pommes de terre entières avec leur peau (10 % de perte en vitamine C), qu'épluchées et découpées en petits morceaux (40 % de perte). Si vous devez tailler finement des légumes (comme lors de la réalisation d'une julienne), cuisez rapidement l'ensemble dans peu d'eau (chaude au départ !), légèrement salée et conservez le côté craquant des légumes : c'est très « nouvelle cuisine » !

LE FAIT DE SALER L'EAU DE CUISSON CONSERVE À L'ALIMENT SA SAVEUR, SA COULEUR (PENSEZ À NE PAS COUVRIR LA CASSEROLE) MAIS LIMITE AUSSI LA DIFFUSION DES MINÉRAUX DANS L'EAU.

Avantages : Destruction de la plupart des microbes (du fait des températures atteintes), pas d'usage de matières grasses.

Inconvénients : Temps de cuisson parfois long, qui va de pair avec une perte de saveurs : pensez alors aux aides culinaires (comme les bouillons cubes), aux herbes et aux aromates. Choisissez aussi des produits très frais et de saison : ils resteront plus savoureux !

Variantes : Vitamines et minéraux peuvent aussi être « récupérés » en utilisant l'eau de cuisson pour des bouillons ou des sauces légères (réaliser alors la liaison avec de la fécule de maïs ou un peu de crème fraîche allégée). Une bonne façon de ne pas jeter des éléments nutritionnels intéressants !

Les cuissons en autocuiseur, à la vapeur et en papillote

Ces modes de cuisson conservent mieux la valeur nutritionnelle et les arômes des aliments que la cuisson à l'eau. En effet, soit le temps de cuisson est plus court (autocuiseur), soit les aliments cuisent dans leur propre eau de constitution (vapeur et papillote). L'utilisation de l'autocuiseur est avantageuse pour préparer les légumes secs (flageolets, lentilles, pois chiches...) ou certaines viandes (osso bucco, rouelle de porc, queue de bœuf...), qui ont besoin d'être cuits plus longtemps afin de s'attendrir.

LA CUISSON SIMULTANÉE DU PLAT ET DE SON ACCOMPAGNEMENT EST POSSIBLE, D'OÙ UN GAIN DE TEMPS ET DE SAVEUR.

Avantages : Temps de cuisson réduit et pas (ou peu) de matières grasses.

Inconvénients : Nécessité de sortir la « grosse

42

artillerie » (cocotte ou appareil de cuisson à la vapeur), mais avec sa feuille d'alu ou de papier sulfurisé, la papillote reste légère et facile à réaliser.

Variantes : Les papillotes peuvent aussi être cuisinées au four traditionnel (dans une feuille de papier d'alu) ou au four à micro-ondes (papier sulfurisé). Le résultat est tout aussi savoureux et le gain de temps appréciable.

La cuisson au four à micro-ondes

La technique est basée sur une émission d'ondes entraînant l'agitation des molécules d'eau contenues dans les aliments. La friction qui en résulte entraîne un échauffement provoquant une élévation de la température de l'aliment. La diffusion de la chaleur se fait de l'intérieur vers l'extérieur de l'aliment.

En usage quotidien, le four à micro-ondes sert le plus souvent à réchauffer des plats. Ne dorant ni ne gratinant les aliments (à moins d'utiliser des appareils plus high-tech), son emploi pour la cuisson est assez limité. Pourtant ce champion de la rapidité est idéal pour la cuisson des poissons, pour les préparations liquides, les légumes. Il permet de réaliser toutes les cuissons sans matière grasse ! Comparée à des cuissons traditionnelles, la montée en température est rapide (d'où un temps de cuisson court), peu élevée (traitement plus « doux » et moindre destruction des vitamines) et ne nécessite pas d'eau (moindre perte des minéraux). La valeur nutritionnelle des protéines est mieux conservée et les lipides s'oxydent moins.

UTILISEZ UN CONTENANT ADAPTÉ AU CONTENU ! LE PLUS PETIT POSSIBLE POUR SATURER RAPIDEMENT L'ENVIRONNEMENT EN VAPEUR D'EAU (QUI S'ÉCHAPPE DE L'ALIMENT) ET ÉVITER LE DESSÈCHEMENT DU PRODUIT.

Avantages : Gain de temps, pas d'usage de matières grasses.

Inconvénients : L'emballage ou le récipient ne devait pas, jusqu'à présent, contenir de métal, afin de laisser passer les ondes (verre, carton, plastiques). Les nouvelles générations d'appareils à cuisson mixte accepte des récipients en métal.

Variantes : Alliez les avantages de deux techniques en débutant la cuisson de votre plat dans le four à micro-ondes et en l'achevant au four traditionnel sous le gril pour obtenir un beau gratiné.

La chimie se rit des graisses

Contrairement à des idées reçues, les aliments ne nécessitent pas d'adjonction de matières grasses pour se colorer ou dorer ! Des réactions chimiques aboutissant à l'apparition de ces couleurs lors de la cuisson ont lieu entre les protéines et les glucides. Elles aboutissent à la formation de composés colorants (de la gamme des rouge, brun, orangé et marron) et aromatiques. Les lipides (les graisses) n'interviennent pas. Vous pouvez donc abandonner le beurre ou la margarine sur le poulet et le rôti, l'huile dans la poêle pour le steak. Assurez-vous plutôt d'utiliser un instrument de cuisson bien chaud et sortez les aliments du réfrigérateur un bon moment avant de les cuire.

herbes, épices et Cie : réveillez vos papilles

De part leurs richesses , leurs variétés, leurs couleurs, leurs parfums et leurs apports caloriques proches

de 0, les formes (cueillies toutes fraîches, surgelées, séchées, déshydratées) tous les exhausteurs naturels

de goût doivent être plébiscités. Sans oublier : les câpres, les cornichons, les pickles, la salicorne, les petits

oignons aux vinaigres, les moutardes...

Vertus spécifiques des aromates : quelques exemples parmi d'autres

L'aneth appartient à la famille des ombellifères. Il est reconnaissable à ses minces feuilles, à ses fleurs jaunes et à ses graines brunes. Cousin de l'anis vert, l'aneth a comme lui un arôme anisé. Cette plante a d'intéressantes propriétés apaisantes et digestives (rien de tel qu'une tisane d'aneth pour soulager les douleurs gastriques), tandis que ses graines parfument l'haleine. Au Moyen Âge on attribua même à l'aneth des vertus contre les sortilèges, tandis que dans l'Antiquité on y voyait un symbole de vitalité.

Comme le **romarin**, la **menthe** ou la **marjolaine**, le **basilic** est une Labiée. Son nom vient du grec *basilikon*, qui signifie « royal ». C'est dire l'estime que les Anciens portaient au basilic. Utilisé par les Égyptiens pour embaumer leurs morts, le basilic était associé au deuil chez les Grecs (et à la haine chez les Romains !). Au Moyen Âge, on le recommandait aussi bien contre les rhumes ou les verrues que pour enrayer la mélancolie. De fait, il possède des propriétés sédatives et diurétiques et s'avère utile contre la migraine et les insomnies.

Parfois confondu avec le **cumin**, le **carvi** en diffère pourtant par sa saveur citronnée et anisée, et par ses propriétés rafraîchissantes. Le carvi a par ailleurs des vertus stimulantes et diurétiques. Et on dit qu'il constitue un excellent remède contre les maux de ventre, ainsi qu'un bon moyen de mettre en appétit.

Égayez votre table et vos assiettes

Il est tout aussi important de se soucier de l'ambiance dans laquel on consomme son repas.

Qu'il s'agisse du plateau-repas, de la table familiale du quotidien ou de celle plus du week-end, des tables festives, de la nappe du pique-nique, de la table basse du salon ou de la chambre d'étudiant... tous méritent un intérêt certain. Un petit grain de folie, un effort d'originalité, un souci du détail qui fait « mouche ». De la rose dans son soliflore, à la serviette harmonieusement pliée, à la douce lueur d'une bougie, au dessous d'assiette rapporté de voyage, à la salière amoureusement chinée. Faire de chaque repas un petit moment d'exception ne demande pas obligatoirement un grand budget mais un peu d'imagination.

Grains de sel

Le sel de table ou, encore plus, celui utilisé par les industriels n'a pas vent de sainteté en ce début de xxiᵉ siècle. Nous en consommons trop : le fait est reconnu et étudié par la communauté scientifique. Mais ne diabolisons pas tout ! Le sel apporte du sodium, indispensable à la transmission des influx nerveux aux fibres musculaires, et régulateur des pressions relatives des différents compartiments de l'organisme, particulièrement de l'eau. Si des excès peuvent être préjudiciables aux personnes atteintes d'hypertension, aux personnes obèses et souffrant d'insuffisance cardiaque, l'ensemble de la population n'a pas à se mettre « au régime sans sel ». Naturellement présent dans un grand nombre d'aliments (légumes, céréales, fruits de mer, viandes, eaux, etc.) le sel connaît aussi un usage abusif en tant qu'exhausteur de goût. Évitons donc de tout resaler systématiquement, usons du sel avec modération pour les cuissons et, surtout, méfions-nous des plats cuisinés de l'industrie alimentaire, qui en contiennent parfois des quantités surprenantes.

l'art d'accommoder les restes

Malgré votre gestion alimentaire finalement assez bien maîtrisée, la gourmandise a encore frappé.

Et maintenant votre réfrigérateur déborde de provisions ou de plats préparés en trop grandes quantités.

Que faire ? Diable, surtout ne pas les laisser perdre ! Les convertir en avantage, et récupérer un temps

précieux que vous pourrez, si le cœur vous en dit, passer loin des fourneaux.

Premier réflexe : l'hygiène

Il est indispensable de conserver les restes au réfrigérateur ou au congélateur. Mais attention, la congélation ne stérilise pas les aliments qui auraient été contaminés. Le froid (à des températures inférieures à 0 °C) stoppe le développement des bactéries, mais, dès la remontée en température, celles-ci se réveillent et peuvent proliférer à nouveau. Méfiance donc si des plats contenant de la viande, du poisson ou des œufs ont séjourné à température ambiante.

Des restes que l'on pense consommer rapidement, c'est-à-dire au cours des deux ou trois repas qui suivent, attendront au réfrigérateur, dans la partie la plus froide, après les avoir emballés ou mis dans des récipients hermétiques.

Les préparations à base d'œufs ne seront en aucun cas conservées plus de 48 heures. Les fruits et les légumes (spécialement s'ils sont crus) risquent de perdre leur intérêt vitaminique au cours de la conservation. Quelques rares légumes, comme les artichauts et les épinards, supportent mal d'attendre plus de 24 heures après la cuisson, car ils développent des éléments toxiques.

Quelques idées de préparation

Les possibilités de recycler des préparations dépendent du mode de cuisson qu'elles ont subi. Elles seront d'autant plus nombreuses que les plats auront été cuisinés sans sauce.

Les légumes : Crus ou cuits, ils pourront être agrémentés en purée, gratins, terrines, tartes, ou tourtes, mais aussi en salades composées.

Les féculents : Base idéale des purées, des salades et des potages...

Les pommes de terre, en fonction de leur variété, servent au hachis parmentier ou font l'agrément d'une omelette.

Les pâtes se marient parfaitement au restant d'un plat de viande, de poisson, ou de fromage. Les lasagnes aux légumes et au poisson sont délicieuses, et le gratin de macaronis a toujours des adeptes !

Le riz peut servir de liant à une soupe (à condition de mixer le tout pour obtenir une texture onctueuse), à une farce pour des légumes. On peut s'inspirer du riz cantonnais pour improviser des mélanges.

Les légumes secs seront transformés en purée, en salade (lentilles et haddock, par exemple), en soupe (potage rustique avec bouillon, morceaux de viandes et de légumes).

Enfin, pourquoi ne pas s'inspirer des assiettes végétariennes, et proposer un assortiment (légumes cuits et crus, céréales et légumes secs...).

Les viandes et les poissons S'ils ont été présentés chauds, servez-les froids, accompagnés de sauces ou condiments (mayonnaise « corrigée » ou allégée, moutarde, cornichons...). Les restes d'un plat de viande (rôti, pot-au-feu) permettent de préparer des boulettes, des légumes farcis ou des hachis. Le hachage doit être réalisé au dernier moment afin de limiter le risque de contamination microbienne : plus un aliment est taillé petit, plus la surface en contact avec l'air est grande, et le risque de contamination important. Un reste de viande ou de poisson en petite quantité peut aussi être le prétexte à des tourtes, friands ou terrines.

une petite faim : collation ou grignotage ?

L'une répond à un besoin physiologique, l'autre au hasard, au stress ou à l'ennui. L'une fournit de l'énergie qui sera utilisée, l'autre conduit à faire des stocks. Il ne faut pas confondre collation et grignotage.

À quantités égales de calories consommées chaque jour, l'augmentation du nombre des repas semble avoir des effets favorables sur la minceur, la masse grasse, et même le cholestérol : intéressant, non ?

Contre le grignotage

Le grignotage correspond à une consommation intempestive, non motivée par la faim, favorisée par le stress, l'ennui, l'occasion sociale. Il procure un rassasiement rapide mais bref. Il ne change pas la durée de l'intervalle entre les repas. Pris deux heures avant le dîner, il favorise les dépôts de lipides et ne diminue pas pour autant les quantités de calories consommées au repas suivant. De plus, on sait que leur pratique réduit la diversité alimentaire et peut entraîner une insuffisance d'apports en minéraux et en vitamines. En effet, les produits consommés sont le plus souvent très énergétiques (aliments gras-sucrés) et sans grand intérêt nutritionnel.

Pour éviter l'envie de grignoter, il faut rechercher la raison du grignotage ou l'événement qui le déclenche. Si l'envie de manger n'est pas causée par la faim (en regardant la télévision, en rentrant du travail), il faut la tromper en pratiquant une activité au moment critique : s'absorber dans un travail manuel pendant lequel il est impossible de manger, faire une promenade, jardiner, pratiquer une activité sportive, sortir voir des amis, promener le chien...

Pour la collation

La collation du matin ou le goûter sont des petits repas équilibrés qui répondent à des besoins nutritionnels spécifiques pour certains groupes de population (femmes enceintes ou qui allaitent, enfants, personnes âgées...), pour lesquelles, bien souvent, chaque prise alimentaire ne peut excéder un certain volume (voir page 31).

Dans les cas de pratique sportive, de travail physique fatigant, de petits déjeuners très matinaux ou de déjeuners tardifs, ils ont une fonction de relais, et, pour peu que les aliments consommés soient inclus dans l'apport énergétique total souhaité pour la personne, ils ne présentent aucun inconvénient, permettant au contraire une meilleure digestion de l'ensemble des repas.

Quelques exemples de collation, à consommer assis et dans le calme :

- un verre de lait et du pain d'épices ;
- un verre de jus d'orange, du pain et du fromage ;
- un thé, un yaourt et un fruit.

quelle formule ce midi ?

Bien souvent le temps manque à la mi-journée pour faire un vrai repas. Le sauter est la pire des solutions,

car on grignotera à la place ; c'est doublement pénalisant. Mieux vaut prévoir une collation en choisissant

judicieusement ses composants. Attention, d'autre part, aux formules rapides, qui, comme les repas

d'affaires, sont truffées de pièges. Ouvrez l'œil, donc, avant d'engloutir n'importe quoi !

Sur le pouce, aujourd'hui

Il existe de nos jours tout un marché de produits spécifiques, salés (sandwichs, salades, tartes, quiches, cakes salés) ou sucrés (barres, céréalières, boissons lactées), faciles à consommer, en conditionnement individuel et prévus pour être mangés sans fourchette. Certains packagings associent même un aliment salé et un sucré.

Mais on peut aussi prévoir et confectionner soi-même son déjeuner sur le pouce, c'est-à-dire adapter aux circonstances les éléments du déjeuner classique pris à table et à la maison.

Sandwich : Plutôt qu'un « gros » sandwich, prévoyez-en plusieurs. Le pain (baguette, grandes tartines, pain de mie frais ou grillé) ainsi que le beurre apporteront l'énergie. L'un des sandwichs sera composé de viande froide (poulet, reste de rôti, bacon, jambon cru ou cuit) pour les protéines et de quelques rondelles de tomates, de concombre, de cornichons, quelques feuilles de salade pour les vitamines et les fibres. Un autre intégrera du fromage en tranches ou à tartiner pour l'apport en calcium. Ne chargez pas inutilement votre repas en graisse avec de la mayonnaise ou des chips. Terminez par des fruits ou une compote (prête à consommer), et arrosez le tout de quelques verres d'eau.

Salade : Si vous préférez la formule salade composée, n'oubliez pas d'apporter des couverts ! Pour le reste, il vous suffit de mélanger du riz, des pommes de terre ou des pâtes pour l'apport en énergie, avec des crudités pour les vitamines et les fibres, des cubes de fromage (cantal, bleu...)

pour le calcium, de l'œuf dur, du jambon ou du surimi pour les protéines, et d'assaisonner l'ensemble d'une sauce au yaourt, d'une vinaigrette ou d'un jus de citron. Comme avec le sandwich, complétez la formule par des fruits, une compote, quelques biscuits (si vous n'avez pas mis de produit céréalier dans la salade), un yaourt (si vous n'avez pas mis de fromage dans la salade), le tout accompagné d'eau.

D'accord, mais... Au final : un repas rapide, vite avalé ; votre estomac, vite rassasié. Mais pas pour longtemps. Il va se rappeler à votre bon souvenir dans l'après-midi, et là, vous risquez de vous jeter sur la première denrée prête à consommer à portée de main : viennoiserie sucrée et grasse achetée en sortant du travail, paquet de biscuits ou barre chocolatée. Anticipez le petit creux et pensez à la collation qui compensera les manques du déjeuner (essentiellement fruit et produit laitier). Parvenu au repas du soir, rééquilibrez le tout, par exemple en dînant de crudités, de légumes, de fromage ou de laitage. Essayez, autant que possible, de manger dans le calme et pendant au moins 30 minutes. Vous reprendrez le travail dans de meilleures conditions.

Au restaurant avec les collègues

La formule qui permet l'équilibre alimentaire dans le meilleur rapport qualité/prix est indéniablement la restauration d'entreprise. Sachez toutefois user des autres solutions repas en « déjeuner » éclairé.

Au self : Le plus souvent, vous avez le choix entre plusieurs entrées, un ou deux plats de

résistance, différents laitages, fromages et desserts. Évitez de commencer le repas par des friands, quiches, bouchées à la reine ou œuf mayonnaise ; optez pour les salades composées, les crudités ou même un potage. Alternez ou panachez féculents (pommes de terre, pâtes, légumineuses, riz, semoule) et légumes (accompagnés de pain, si vous les prenez seuls) ; ne vous autorisez pas les fritures (frites, poisson pané, cordon bleu…) plus d'une fois par semaine. Si vous devez choisir entre fromage/laitage ou dessert, prenez le produit laitier si l'entrée et le plat principal en sont dépourvus. Préférez les fruits ou préparations à base de fruits aux desserts sucrés, surtout si vous n'avez pas commencé votre repas avec des crudités. Ne faites pas l'erreur d'associer, au même repas, saucisson, bourguignon, frites et pâtisserie : vous dormiriez tout l'après-midi. À l'inverse, sachez que l'association salade verte, steak, haricots verts, pomme vous expose au risque de fringale deux heures plus tard. Si vous n'avez pas le temps ou le budget pour réaliser un repas complet, pensez à prendre avec vous un laitage et/ou un fruit que vous consommerez dans l'après-midi lors de votre pause café. Cette offre de restauration permet assez facilement de manger équilibré.

Pizza, croque-monsieur : Choisissez une pizza genre « tomates-thon-fromage » et complétez d'un fruit pour les vitamines, ou d'un laitage pour le calcium si la pizza ne comporte pas de fromage. Ne rajoutez pas d'huile pimentée. Ne prenez pas de pain en plus. Mêmes recommandations pour les croque-monsieur et croque-madame. Il est souhaitable que ce type de repas reste occasionnel, car ces plats, bien souvent très riches en matière grasse, vous laissent l'impression de n'avoir rien mangé. Alors souvenez-vous qu'un fruit et/ou un laitage pris au bureau dans l'après-midi pourront vous être utiles. Et ne croyez surtout pas que ce petit rajout vous fera grossir : il permet seulement de rééquilibrer votre alimentation.

Crêperie : Limitez-vous à deux crêpes, deux salées ou une salée et une sucrée, que vous accompagnerez, si possible, de légumes ou d'une salade verte ou de tomates. Pour la crêpe salée, prenez une seule garniture, riche en protéines (jambon, gruyère, œuf, thon, saumon…), Même conseil pour la crêpe sucrée : une seule garniture suffit (beurre, citron, fruits rouges, flambée, etc.). Le tout arrosé d'une bolée de cidre brut (moins sucré) si vous l'appréciez.

Hamburger : Le « fast-food » a mauvaise réputation du point de vue nutritionnel, ce qui se justifie plus encore si vous y allez souvent et si vous choisissez systématiquement un double hamburger avec frites et sodas en terminant par un « sundae ». Un tel menu fait le plein de graisses et de sucres et le vide de vitamines et minéraux. Associez plutôt un hamburger simple avec des crudités et une salade de fruits, le tout accompagné d'eau. Vous compléterez ce repas d'un jus de fruits et d'un produit laitier dans l'après-midi.

La « world food »

Saveurs exotiques à des prix imbattables. Qui les bouderait ?

Chinois : Préférez les aliments grillés ou cuits à la vapeur, accompagnés de riz blanc plutôt que de riz cantonnais. Suggestion de menu : potage aux légumes + petites bouchées vapeur, ou encore rouleaux de printemps, pâtés impériaux ou nems + salade. Et en dessert : sorbet ou salade de fruits exotiques.

Couscous : Inutile de prendre une entrée. Commandez un couscous poulet ou brochette de bœuf (plutôt que merguez, boulette ou mouton). Servez dans votre assiette autant ou plus de légumes que de semoule. Ne mangez pas de pain en plus. Sorbet, salade à l'orange ou du thé à la menthe (non sucré !) vous chargeront moins que les pâtisseries.

Repas d'affaires

Bien souvent le repas d'affaires peut se résumer à l'équation : excès de graisses + excès d'alcool = surcharge de calories. S'il est exceptionnel, pas de souci : l'équilibre alimentaire se joue sur la semaine. Par contre, si vos activités professionnelles vous y contraignent souvent, il faudra veiller à votre menu. Mais, en général, les restaurants proposent des choix suffisants pour limiter les excès incontrôlés. Quelques règles de base ne doivent pas être perdues de vue.

Pas de charcuteries ni de préparations en sauce en entrée. La solution idéale combine richesse en protéines ou en fibres, mais pauvreté en glucides et en graisse : mieux vaut un plateau de fruits de mer plutôt qu'un feuilleté ou une quiche, un melon au jambon plutôt qu'une assiette de cochonnailles, et même une salade aux miettes de foie gras plutôt que deux tranches de foie gras !

Choisissez, pour le plat principal, de préférence une grillade ou un poisson, en laissant la sauce de côté. Oubliez les frites au profit de la pomme de terre au four, du gratin dauphinois, des tagliatelles ou des légumes verts. Et dans ce dernier cas mangez du pain au cours du repas pour éviter la fringale en fin d'après-midi.

Pour le dessert, privilégiez les préparations à base de fruits (salade, gratin), de lait (île flottante, crème caramel), ou carrément un sorbet voire un bavarois au coulis de fruits. Si vous devez choisir entre fromage ou profiteroles au chocolat, prenez le fromage !

Quant à la boisson, un peu de vin si vous ne pouvez pas faire autrement, mais n'hésitez pas à commander de l'eau plate ou gazeuse et vous verrez que vous ne serez pas le (ou la) seul(e) à en boire.

C'est le repas du soir qui permettra de rééquilibrer les excès du déjeuner, ce qui n'implique pas de se mettre au bouillon de légumes mais de prévoir des crudités, des fruits et des laitages (ou du fromage).

menus de fêtes

Les fêtes sont d'agréables prétextes aux retrouvailles, au plaisir partagé et à la convivialité. Elles sont parfois

aussi synonyme de fatigue, d'indigestion, de prise de poids... Afin d'éviter ces petits désagréments, voici quelques

conseils pour passer de bons moments !

En préambule

Pas question de se mettre au régime ou de moins manger avant les fêtes, au risque de se dérégler l'organisme et de faciliter les indigestions. Les principes d'équilibre habituels restent valables : faire trois vrais repas par jour, boire de l'eau en quantité suffisante, et bien sûr éviter de grignoter confiseries et truffes en chocolat avant l'heure.

Dès l'apéritif

Remplacez les toasts et les traditionnels petits-fours à la pâte feuilletée par des crudités (carotte, chou-fleur, concombre, tomates cerises, brocolis, radis, ananas, melon, raisin...). Trouvez des astuces pour les présenter : brochettes de fruits et légumes crus, aux couleurs gaies et contrastées, piquées dans des choux ou des pomelos. Pour les accompagner, confectionnez des sauces au yaourt ou au fromage blanc, parsemées d'herbes fraîches et additionnées de moutarde, de curry ou de concentré de tomate. Comme boisson, proposez, en alternative à l'alcool, des cocktails à base de jus de fruits ou de jus de légumes.

Les entrées

Sachez utiliser les fruits de mer (homard, langoustines, huîtres, noix de Saint-Jacques...), ils ont l'avantage d'être peu caloriques, riches en protéines, vitamines et oligo-éléments. Même s'il est assez gras, le saumon fumé apporte une quantité non négligeable de vitamines A et D et de protéines. Plus maigres, la truite ou l'espadon fumés sont riches en protéines, en vitamines PP et B12. À consommer sur pain grillé, avec une cuillère de crème fraîche et de l'aneth frais.

Les plats principaux

S'il vous est impossible de faire l'impasse sur traditionnelle dinde aux marrons, pas de panique ! D'ailleurs, sa chair est maigre (3 g de lipides pour 100 g en moyenne), à condition de ne pas manger la peau ni de saucer. Elle constitue une excellente source de protéines, de fer et de vitamine PP. Grâce à leurs glucides, fibres, potassium et vitamine B9, les marrons qui l'accompagnent s'intègrent parfaitement dans une alimentation équilibrée. On peut remplacer la dinde par une pintadeou un chapon.

Le boudin blanc n'est pas aussi gras qu'on l'imagine (deux fois moins, en tout cas, que les terrines ou galantines), car il est fabriqué à partir de viande maigre et de lait.

Les gibiers sont, eux, extrêmement riches en fer et en protéines et ne contiennent que très peu de lipides. Mais c'est la sauce dont on les accompagne (au vin, au poivre vert...) qui alourdit souvent leur bilan calorique. Autre possibilité : les faire griller ou rôtir.

Légumes servis en accompagnement

Non contents de réjouir l'œil et les papilles, ils couvrent nos besoins en glucides, fibres et vitamines. Faites-vous plaisir avec des haricots verts, des champignons revenus à la poêle, des tomates à la provençale, des pommes dauphines, des baies d'airelles, des asperges vertes, des choux Romanesco, des purées de carottes, céleri, brocolis, haricots verts... Jouez avec les couleurs et les textures.

Le plateau de fromages

Il en existe une telle variété, et puis ce sera la principale source de calcium du repas ! Proposez également du fromage blanc en faisselle, qu'on peut manger salé (avec du poivre, des herbes fraîches, de l'ail et de l'échalote) ou sucré (sucre, confiture, miel).

Le dessert

La traditionnelle bûche de Noël est un biscuit roulé généreusement garni de crème au beurre parfumée au chocolat ou au café. Il en existe des versions « light » : bûche glacée ou aux fruits (type bavarois). Vous pouvez choisir de plutôt servir une salade de fruits, une corbeille de fruits exotiques, accompagnées de truffes en chocolat, papillotes et fruits déguisés ! Si vous souhaitez être plus original, pourquoi ne pas finir le repas avec une tarte aux clémentines, à l'ananas ou aux oranges et au chocolat qui, outre la note sucrée, vous apportera fibres et vitamines.

Champagne !

C'est la boisson festive par excellence. Mais sachez toutefois qu'une coupe de champagne apporte autant d'alcool et de calories qu'un petit verre de vin. Quel que soit votre choix, consommez l'un et l'autre avec modération. Et servez, durant le repas, eau plate ou pétillante à volonté.

poids, stress et sédentarité

On voudrait bien trouver à la prise de poids d'autres fautifs que les aliments... Stress et sédentarité sont des

coupables tout désignés, au spectre large, terrorisant, inéluctable. L'un accélère, l'autre immobilise, ou bien

c'est le contraire... Mais tous deux ne font-ils pas perdre la raison à nos comportements alimentaires ?

Impact du stress sur le poids ?

Le stress est provoqué par des agressions (physiques ou psychologiques) suffisamment importantes pour mobiliser de l'énergie et faire face à « l'urgence » : accélération des battements du cœur, de la respiration (deux phénomènes normalement consécutifs à un effort musculaire), mais aussi boule dans la gorge ou nœud dans l'estomac (deux, parmi d'autres, manifestations anormales d'un état réactionnel).

Le stress peut aussi perturber la prise alimentaire et l'équilibre pondéral. L'hypophagie (manger moins) sous l'effet d'un stress est considérée comme une réponse normale. En revanche, la relation avec l'hyperphagie (manger plus) est beaucoup moins claire. On peut bien sûr évoquer le soulagement que procure le fait de « manger », dont l'effet trop passager pousse à recommencer.

Le rôle des neuromédiateurs (substances transmettant l'influx nerveux) a pu être clairement établi chez l'animal, mais chez l'homme les conclusions sont moins probantes. On sait que certains aliments, comme les céréales, le riz ou les pommes de terre, libèrent un acide aminé essentiel, la tryptophane, qui déclenche à son tour la sécrétion par l'intestin et le cerveau, d'une substance appelée sérotonine, « l'hormone du bien-être ». L'instinct nous guiderait-il vers la consommation d'aliments riches en glucides pour combattre le stress ? Rien ne le prouve. Des observations menées sur des sujets soumis à un régime restrictif montrent que, sous l'effet du stress, ils ont tendance à perdre le contrôle qu'ils exercent sur leur alimentation et mangent plus. Par contre, l'hypothèse selon laquelle les obèses mangeraient trop dans les situations émotionnelles n'a jamais été clairement vérifiée. Et la dépression n'est pas plus répandue chez les personnes obèses que dans le reste de la population.

Accusé Sédentarité, levez-vous !

La sédentarité ne consiste pas seulement à rester des journées entières prostré devant la télévision à grignoter des « non-nourritures », c'est aussi aller chercher le pain en voiture, prendre le bus plutôt que de remonter une côte à pied, envoyer un mail plutôt que de traverser la rue. Et ce phénomène diminue les besoins en énergie sans pour autant en restreindre les apports : parce que manger demeure une activité, souvent fébrile et stressée...

La sédentarité est considérée comme un déterminant important de l'état de santé en général et de la prise de poids au cours du temps en particulier. Un simple exemple illustratif : les maladies cardio-vasculaires représentent 32 % des décès (soit environ 170 000 par an) et coûtent à elles seules 3 milliards d'euros par an à la Sécurité Sociale. Tout comme elles, l'obésité, le diabète de type II, le syndrome métabolique, tristes compagnons de la sédentarité, sont devenus des préoccupations de santé publique. La promotion d'une activité physique régulière et la réduction des comportements sédentaires sont deux actions complémentaires essentielles dans la prévention du gain de poids.

Niveau d'activité physique

Pour estimer les besoins énergétiques des divers types de population, les autorités sanitaires

françaises se basent sur une échelle des niveaux d'activité physiques (NAP). L'activité physique, au sens large, inclut tout le fonctionnement silencieux du corps au repos (certains dépensent plus, d'autres moins), tous les mouvements effectués dans la vie quotidienne (domestique, professionnelle, sociale), et ne se réduit pas à la seule pratique sportive (l'exercice).

Nous cumulons différents niveaux d'activités physiques, dont le total, selon notre sexe et notre âge, détermine nos besoins. Un apport énergétique excédentaire engendre généralement une prise de poids. Un des effets métaboliques majeurs de l'activité physique pratiquée sur une base régulière est l'augmentation de l'utilisation des substrats lipidiques par rapport aux glucides. C'est donc en grande partie par le contrôle combiné du niveau d'activité physique et des apports en graisses que va se jouer l'équilibre du bilan énergétique.

Des recommandations pour se prendre en main

Les recommandations actuelles en matière d'activité physique pour la population générale indiquent que tous les adultes devraient pratiquer, en une ou plusieurs fois, au moins 30 minutes d'activité physique d'intensité modérée, si possible tous les jours de la semaine. La marche rapide est prise comme exemple type d'activité physique d'intensité modérée. Ces recommandations visent la prévention des pathologies chroniques les plus fréquentes dans les pays industrialisés, en particulier les maladies cardiovasculaires.

Il existe des questions et un débat sur le niveau habituel d'activité physique qui permettrait de limiter la prise de poids. D'après les données actuelles, le minimum requis correspondrait à 45 minutes à 1 heure par jour d'activité physique d'intensité modérée (marche rapide), soit le double des recommandations actuelles pour la population générale.

Sans négliger ni l'importance ni le côté pragmatique de ces recommandations, il faut rappeler que la pratique d'activités d'intensité élevée, sous réserve de leur faisabilité par le sujet, permet une dépense d'énergie équivalente à celle produite par la pratique d'activités d'intensité modérée en 2 à 3 fois moins de temps.

vrai ou faux ?

Le point sur quelques questions « stratégiques » pour combattre les idées reçues.

1. Consommées avec modération, les boissons alcoolisées seraient bonnes pour la santé

Vrai/faux : Plusieurs études ont montré qu'une consommation de vin rouge, quotidienne et modérée (2 à 3 verres par jour), aurait des effets bénéfiques sur les différents métabolismes de l'organisme. En effet, l'éthanol (l'alcool) augmente le bon cholestérol (HDL), réduisant ainsi les risques de maladies cardio-vasculaires, et les polyphénols, composés anti-oxydants, ainsi que le monoxyde d'azote améliorent la circulation du sang et diminuent les risques de thrombose. Le vin protégerait donc contre les maladies cardio-vasculaires, mais aussi contre le cancer, le diabète, l'arthrite et même les maladies de dégénérescence du cerveau comme l'Alzheimer. De là à le considérer comme un médicament, il n'y a qu'un pas, qu'il vaut mieux éviter de franchir. Les bienfaits supposés du petit ballon ne doivent pas faire oublier les méfaits de la bouteille. La marge est faible (et donc vite dépassée) entre les 3 à 4 verres censés protéger le cœur et les 6 verres qui augmentent le risque de cirrhose. Les enquêtes montrent que les buveurs excessifs ne sont pas conscients de l'être, et qu'ils sous-estiment presque toujours leur consommation. Il est conseillé à tous de passer au moins un jour par semaine sans aucune boisson alcoolisée.

L'Organisation mondiale de la santé a fixé la consommation hebdomadaire maximum à l'équivalent de 28 verres de vin pour les hommes et à 14 pour les femmes (plus sensibles à l'alcool). Ces repères maximaux sont, bien entendu, des frontières à ne pas transgresser et non des objectifs à atteindre ! Aucun médecin ou scientifique ne peut aujourd'hui, en conscience, encourager quelqu'un qui ne boit pas à changer ses habitudes.

2. L'aspartame serait toxique

Faux : Découvert en 1965, l'aspartame a reçu une première autorisation de mise sur le marché aux États-Unis en 1974. Il est autorisé en France depuis 1988. Son innocuité a été évaluée et reconnue par de nombreux comités d'experts nationaux et internationaux.

La dose journalière admissible (DJA) pour l'homme a été fixée à 40 mg/kg/jour. En décembre 2002, le Comité scientifique sur l'alimentation de la Commission européenne a émis un nouvel avis à partir de l'analyse des articles scientifiques publiés entre 1988 et 2001 et du rapport de mai 2002 de l'Agence Française de Sécurité Sanitaire des Aliments (AFSSA) quant à la question des effets de l'aspartame sur le système nerveux (tumeurs cérébrales et convulsions), de « nouvelles » fausses rumeurs (circulant sur le net) mettant en cause l'innocuité de cet additif.

D'après les estimations disponibles issues des différents pays européens, l'apport alimentaire en aspartame chez les grands consommateurs de cet édulcorant – incluant les adultes, les enfants et les diabétiques de tous âges - atteint au maximum 10 mg/kg/jour, soit bien en dessous de la DJA.

3. Faut-il se méfier du fromage ?

Le fromage ne contient pas que du lait

Faux : En France, le terme « fromage » est réservé au produit obtenu par coagulation du seul lait, puis égouttage suivi ou non d'une fermentation et d'un affinage.

Un camembert à 45 % de MG contient autant de graisse qu'un emmental à 45 % de MG

Faux : Le taux de MG indiqué sur les emballages des fromages est calculé sur la matière sèche (ce qui resterait du fromage une fois toute l'eau enlevée). Le camembert étant plus humide que l'emmental, sa teneur réelle en graisse est plus faible : 21 g pour 100 g de camembert contre 28 g pour 100 g d'emmental. Une nouvelle législation impose maintenant de mentionner les deux teneurs : le taux de MG sur l'extrait sec et le taux réel.

Il ne faut pas associer viande et fromage au même repas

Faux : Viande et fromage ne sont pas incompatibles. Les deux apportent des protéines d'excellente qualité et se complètent très bien : le fromage est également riche en calcium et en vitamines du groupe B, et la viande est une source essentielle de fer. Les consommer ensemble ou à des repas différents, peu importe : il est surtout recommandé de prendre un produit laitier à chaque repas, et de la viande, du poisson ou des œufs chaque jour. On évitera de consommer systématiquement un fromage gras associé à une viande grasse.

Il ne faut pas manger de fromage le soir

Faux : Le fromage peut être consommé au petit déjeuner, au déjeuner, au goûter ou au dîner. L'essentiel est de varier les produits laitiers et d'en prendre 3 à 4 portions par jour afin de couvrir les besoins en calcium.

4. Confusions sur les matières grasses

L'huile d'olive est l'huile la plus légère

Faux : Toutes les huiles contiennent 100 % de lipides (graisses). Une cuillère à soupe d'huile quelle que soit son origine (tournesol, olive, pépins de raisin) apporte environ 130 kilocalories (kcal).

Le beurre est plus gras que la margarine

Faux : Le beurre et les margarines apportent la même quantité de graisse – soit 82 g pour 100 g, et la même quantité de calories, 750 kcal pour 100 g soit 75 kcal pour une noix de beurre – mais pas les mêmes acides gras.

On devrait éviter de chauffer toutes les huiles

Vrai : Certaines huiles ne peuvent absolument pas être utilisées pour les fritures car elles se décomposent à haute température et perdent leur richesse en certains acides gras. Il s'agit des huiles de colza, de soja et de noix. Pour les cuissons, il suffit d'utiliser les huiles dont l'étiquette porte la mention « huile végétale pour friture et assaisonnement ».

L'huile d'olive est la meilleure des huiles

Faux : Chaque huile a des propriétés différentes en fonction de sa composition spécifique en acides gras. Aucune ne réunit à elle seule toutes les caractéristiques nutritionnelles. Ainsi les huiles riches en acides gras monoinsaturés sont les huiles d'olive, d'arachide et de colza. Quant aux acides gras polyinsaturés, ils sont présents dans les huiles de tournesol, de maïs et de noix (pour l'acide linoléique) et dans les huiles de soja, colza et noix (pour l'acide alpha-linolénique). Il est conseillé d'avoir chez soi au moins deux huiles différentes, par exemple tournesol et colza ou olive et maïs.

Les huiles sont riches en vitamine E

Vrai : Les plus riches sont les huiles de tournesol (56 mg pour 100 g), de pépins de raisin (30 mg) et de maïs (30 mg). L'huile d'arachide ou l'huile d'olive en contiennent moins (17 mg et 12 mg). D'où l'intérêt de ne pas toujours utiliser la même huile.

Le beurre est riche en vitamine A

Vrai : Il est même l'une des principales sources en vitamine A. Ainsi 25 g de beurre couvrent un quart de nos besoins quotidiens.

La crème fraîche est 2 fois moins calorique que le beurre

Vrai : Parce qu'elle est riche en eau, la crème fraîche contient moins de calories que le beurre. Une cuillère à soupe de crème apporte 65 kcal ; de plus, il existe aussi des crèmes allégées.

5. « Jus » de fruits : comment s'y retrouver ?

Le jus de fruits est défini comme un produit naturel, issu de la pression de fruits frais mûrs.

Les « purs jus » ne contiennent aucun additif et ne peuvent provenir de jus concentrés. Il en est de même des « 100 % jus de fruit » ou « 100 % pur jus direct », qui sont des marques déposées. Si le pur jus n'a subi aucun traitement thermique, telle la pasteurisation, il est qualifié de « frais » ; il doit alors être conservé au froid et porte une date limite de consommation (DLC) d'une semaine.

Les « jus de fruits à base de jus concentré » sont issus de fruits pressés, dont le jus est concentré sur le lieu de production par évaporation d'une partie de l'eau, puis reconstitué par dilution au moment du conditionnement. On peut même y ajouter les arômes éventuellement récupérés lors de l'opération de concentration. L'ajout de sucre est également autorisé sauf pour la poire et le raisin.

Certains jus de fruits subissent une légère pasteurisation. On les appelle « réfrigérés ». Ils sont à conserver au froid et leur DLC est de 3 à 4 semaines. Ils peuvent être purs jus ou à base de jus concentré.

Quant aux jus qui ne sont ni frais, ni réfrigérés, ils ont subi une pasteurisation ou une stérilisation qui présente l'inconvénient d'entraîner des pertes en vitamine C, mais qui permet de les conserver 1 an. L'addition de sucre doit obligatoirement figurer sur l'étiquette, soit sous la mention « sucré à x g/L » si l'ajout est supérieur à 15 g/L, soit dans la liste des ingrédients s'il est inférieur.

Les nectars de fruits sont fabriqués à partir de fruits (jus ou purées) dont les proportions varient de 20 à 50 % minimum selon les fruits : 40 % minimum pour le nectar d'abricot, 50 % pour celui de pomme ou 25 % pour celui des fruits de la passion. L'étiquette précise obligatoirement la teneur en fruits. De l'eau, du sucre et des additifs autorisés sont ajoutés. Les nectars peuvent être réfrigérés et se garder 3 à 4 semaines au froid, ou être pasteurisés et se conserver 1 an.

Les boissons aux fruits, plates ou gazeuses, ne sont pas encadrées par une réglementation européenne, mais doivent répondre aux dispositions réglementaires relatives aux additifs. Elles contiennent au minimum 10 % de jus de fruits et beaucoup d'eau, auxquels s'ajoutent du sucre, des additifs autorisés – dont la liste est plus importante que celle qui concerne les jus et nectars –, des extraits végétaux, et du gaz carbonique pour les boissons gazeuses.

Les sodas, tonics, bitters, limonades et colas

Ces boissons rafraîchissantes. sont composées d'eau, de beaucoup de sucre, d'extraits végétaux aromatisants, de colorants, de conservateurs, de quinine pour les bitters et tonics, et même de caféine pour les colas. À chaque boisson, sa recette.

Quelle place pour ces ces boissons ?

Le point commun des boissons rafraîchissantes, des boissons aux fruits et des nectars est l'apport en sucre ajouté, qui est particulièrement élevé pour les sodas et colas, avec l'équivalent de 20 à 25 morceaux de sucre par litre. Pour s'en apercevoir, il suffit d'en boire un verre resté à température ambiante, le froid atténuant fortement la sensation de goût sucré. Or, ces boissons sont parfois consommées en grande quantité par les enfants et adolescents, allant même jusqu'à remplacer l'eau et le lait. Cette surconsommation entraîne des déséquilibres alimentaires avec une surcharge calorique, et contribue aux insuffisances d'apport en calcium. Leur consommation doit donc rester occasionnelle. On ne peut pas les considérer comme une boisson de table.

Les jus de fruits, eux, sont plus intéressants du point de vue nutritionnel. Extraits des fruits, ils en gardent la plupart des propriétés. Ils apportent de la vitamine C, des minéraux, des oligoéléments et du fructose (sucre du fruit). Par exemple, prendre un jus de fruits dès le petit déjeuner est une bonne façon de consommer des fruits. Mais les jus ne peuvent remplacer totalement ni les fruits frais car ils sont dépourvus de fibres, ni l'eau du fait de leur teneur en sucre.

les « dix commandements » d'une alimentation minceur

1. Faire au moins trois repas par jour

2. Faire de vrais repas

Un repas complet comporte une entrée et/ou un dessert, un plat, un produit laitier. L'idéal est d'y trouver des légumes et/ou des fruits, des céréales (pain) et/ou des féculents, de la viande ou du poisson ou des œufs, des produits laitiers (laitages, fromages, desserts lactés...). N'oubliez pas non plus un peu de matière grasse pour l'assaisonnement (ou la cuisson).

3. Varier les aliments et la façon de les préparer

On le dit et on le répète : il faut manger de tout en quantité raisonnable. Il n'existe pas d'aliments nocifs (poison) ou parfaits (miracle), ce sont les excès ou le trop peu qui déséquilibrent l'alimentation. Des efforts particuliers sont à faire sur la consommation, souvent insuffisante, de céréales, de fruits et légumes, de poisson et de produits laitiers. Variez les recettes sans vous compliquer la vie.

4. Boire suffisamment

1,5 litre : c'est la quantité de liquide à boire au minimum chaque jour. Elle devra être majorée en cas d'activité physique, de fièvre, de diarrhée ou de forte chaleur. Elle inclut la consommation de café, thé, infusions, tisanes et bien sûr d'eau (plate, gazeuse ou aromatisée sans sucre), qui est la boisson à privilégier et celle qui désaltère le mieux.

5. Équilibrer et gérer

Entre un repas trop lourd associant friture et charcuterie ou au contraire le style "poisson grillé - salade" trop léger, il faut trouver le juste milieu. Mais rassurez-vous, l'équilibre alimentaire se fait essentiellement sur la semaine. Si au cours d'un repas, vous n'avez pas mangé de légumes verts, vous vous « rattraperez » au suivant.

6. Se mettre à table avec plaisir

Oui à table ! Car un repas ce n'est pas manger debout, la fourchette dans la casserole ou même directement dans la boîte de conserve. Le plaisir est conditionné par le contenu de l'assiette, sa présentation et par son environnement (jolie nappe, bougies, service « du dimanche »).
Le repas est un moment privilégié d'échanges, de partage, de détente, à condition de prendre son temps, de manger dans le calme et ensemble.

7. Éviter les diktats, suivre son bon sens

8. Respecter la saisonnalité des aliments

9. Bouger un peu, beaucoup, sans modération !

10. Prendre soin de soi

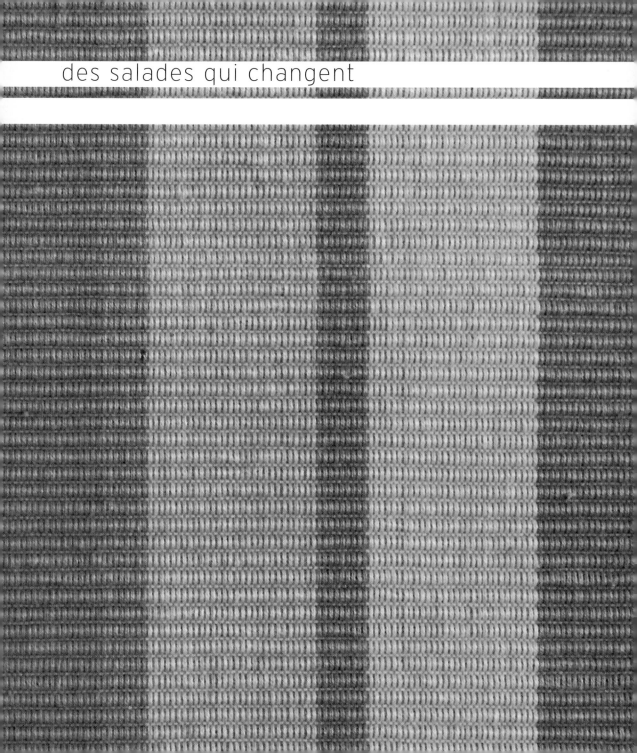

des salades qui changent

salade au fenouil et à la menthe

POUR **4** PERSONNES • **15** MINUTES DE PRÉPARATION • **15** MINUTES DE CUISSON

2 petits bulbes de fenouil très frais
2 grosses oranges
1 jus de citron
8 petits cornichons frais (ou à défaut au vinaigre)
2 c. à soupe de menthe ciselée
2 c. à soupe d'huile de noisette
1 pincée de graines de fenouil
quelques feuilles de menthe entières (facultatif)
sel, poivre

Couper l'extrémité inférieure des bulbes de fenouil et les jeter. Éliminer toutes les petites feuilles si elles sont présentes. Détailler finement le reste des bulbes et la naissance des branches. Mettre dans un saladier et arroser du jus de citron. Bien mélanger. Découper les cornichons en fins tronçons, puis les mélanger au fenouil avec l'huile, les graines et la menthe ciselée. Rectifier l'assaisonnement. Peler à vif les oranges et prélever les quartiers. Dresser le mélange dans le plat de service puis disposer harmonieusement les quartiers d'oranges. Décorer de feuilles de menthe.

> 100 kcal / 6 g de lipides

salade d'épinards et d'oranges

POUR **4** PERSONNES • **15** MINUTES DE PRÉPARATION • **15** MINUTES DE CUISSON

250 g de pousses d'épinards
2 grosses oranges
1 orange sanguine
une quinzaine de crevettes roses décortiquées
quelques morceaux d'oranges confites
zestes d'orange (facultatif)
sel, poivre

Pour la vinaigrette (à ajouter au moment de servir)
2 c. à soupe d'huile de noisette
2 c. à soupe de vinaigre de cidre
2 c. à soupe de jus de citron
2 c. à soupe de jus d'orange
1 c. à café de sucre en poudre
sel, poivre

Dresser un lit de pousses d'épinards lavées et séchées dans un plat ou dans des assiettes. Après en avoir prélevé le zeste, peler à vif les oranges et découper les quartiers. Répartir harmonieusement tous les ingrédients sur les pousses d'épinards. Préparer la vinaigrette, assaisonner la salade puis la décorer des zestes d'orange.

> 120 kcal / 10 g de lipides

coleslaw tout léger

POUR 4 PERSONNES • 20 MINUTES DE PRÉPARATION

350 g de chou vert frisé cru (ou de chou chinois)
1 petite courgette
3 c. à soupe bombées de mayonnaise allégée ou de mayonnaise « corrigée » (voir la recette p. 332)
quelques tomates cerise pour la décoration (facultatif)
fleur de sel, poivre
une pointe de piment

Râper grossièrement la courgette et la laisser égoutter. Émincer très finement le chou au couteau. Dans un saladier, mélanger à la courgette râpée. Ajouter la mayonnaise et mélanger au moment de servir. Assaisonner de poivre rouge et de fleur de sel avec une pointe de piment.

Une variante consiste à utiliser, par exemple, un mélange de chou blanc et de chou rouge crus avec de la carotte. Vous pouvez aussi utiliser du céleri branche. Le principe reste toujours le même : découper très finement les légumes (l'usage d'une mandoline facilite grandement la tâche qui est assez ardue mais le résultat est incomparable).

> 50 kcal / 2 g de lipides

pousses d'épinards aux tomates confites

POUR 4 PERSONNES • 10 MINUTES DE PRÉPARATION

40 g de mimolette vieille
100 g de jeunes feuilles d'épinards frais
40 g de tomates confites
quelques raisins secs

Pour la vinaigrette
4 c. à soupe de vinaigre balsamique
2 c. à soupe d'huile de pépins de raisin
fleur de sel, poivre de Sichuan

Découper les tomates confites en fines lamelles. Tailler la mimolette en copeaux avec un économe. Mélanger tous les ingrédients dans un saladier (réserver quelques morceaux de tomates séchées). Ajouter l'huile et le vinaigre. Parsemer de raisins secs et de morceaux de tomates confites. Servir aussitôt.

> 110 kcal / 8 g de lipides

roquette au bacon et au coing

POUR **4** PERSONNES • **15** MINUTES DE PRÉPARATION

120 g de feuilles de roquette
8 tranches de bacon
4 tomates cerise découpées en quartiers
8 c. à café de confiture de coing
confit de coing
graines de sésame

Pour la vinaigrette
2 c. à soupe d'huile de sésame
3 c. à soupe de vinaigre de Xérès
sel, poivre

Laver et essorer la roquette. Napper les tranches de bacon de confiture de coing. Les rouler sur elles-mêmes et les couper en quatre tronçons égaux. Les fixer avec des piques à apéritif. Couper un cube de confit de coing en petits morceaux. Préparer la vinaigrette. Répartir la salade sur des assiettes plates et disposer les roulades de bacon. Saupoudrer de graines de sésame. Ajouter les cubes de confit de coing, les tomates cerise, puis la vinaigrette. Servir aussitôt.

> 200 kcal / 8 g de lipides

salade des grisons

POUR **4** PERSONNES • **15** MINUTES DE PRÉPARATION • **12** MINUTES DE CUISSON

8 fines tranches de viande des grisons
1/2 salade croquante
300 g de haricots gourmands extra fins
30 g de cerneaux de noix
200 g de raisin blanc fruité

Pour la vinaigrette
2 c. à soupe d'huile de noix
1 c. à soupe de vinaigre de vin blanc
sel, poivre

Faire cuire les haricots à l'eau bouillante (ils doivent rester légèrement croquants). Égrainer et laver le raisin. Le sécher. Éplucher la salade, la laver et l'essorer. Préparer la vinaigrette. Mélanger la salade ainsi que les haricots à la vinaigrette. Disposer sur une assiette et ajouter sur le dessus la viande des Grisons, les grains de raisin coupés en deux et les cerneaux de noix.

> 140 kcal / 9 g de lipides

82

thon à la crétoise

POUR **4** PERSONNES • **15** MINUTES DE PRÉPARATION • **10** MINUTES DE CUISSON

1 grande boîte de thon blanc au naturel (ou 1 sachet de cubes de thon nature)
1 poivron jaune
4 tomates
4 oignons grelot (frais ou au vinaigre)
1 petite boîte d'anchois (2 par personne)
8 olives vertes
1 c. à soupe de câpres égouttées

Pour la vinaigrette
1 c. à soupe d'huile d'olive
1 gousse d'ail écrasée sans le germe
1 c. à café d'aneth émincé
1 c. à soupe de jus de citron
2 c. à soupe de vinaigre de vin rouge
sel

Couper le poivron en petits morceaux. Épépiner les tomates et les couper en petits dés. Hacher grossièrement les oignons, les olives et les anchois (après les avoir égouttés). Mélanger le hachis aux tomates et poivron. Répartir pour le service. Ajouter le thon. Verser la vinaigrette sur le mélange et parsemer de câpres.

> 165 kcal / 7 g de lipides

84

salade de toutes les couleurs

POUR 4 PERSONNES • 10 MINUTES DE PRÉPARATION • 25 MINUTES DE CUISSON

1 boîte d'écrevisses décortiquées (au rayon frais de la poissonnerie)
1 poivron jaune
4 olives noires dénoyautées
1 carotte
1 courgette
1 sachet de mesclun
1 jeune petite betterave rouge crue
1 poignée de fèves cuites (surgelées)
4 c. à café de ciboule ciselée
quelques tomates cerise (facultatif)

Pour la vinaigrette
2 c. à soupe d'huile d'olive
3 c. à soupe de vinaigre balsamique
2 c. à soupe d'eau
fleur de sel, poivre blanc du moulin

Éplucher le poivron, la carotte et la betterave. Laver la courgette en gardant la peau. Épépiner le poivron et le tailler. Détailler la betterave en fins bâtonnets. Prélever des copeaux de carotte et de courgette à l'aide d'un économe. Mélanger les légumes et la ciboule dans un saladier. Répartir la salade sur quatre assiettes, disposer dessus les écrevisses et les tomates découpées en deux. Napper de vinaigrette. Décorer avec les olives. Servir frais.

> 180 kcal / 6 g de lipides

salade mêlée

POUR **4** PERSONNES • **15** MINUTES DE PRÉPARATION

4 tiges de céleri branche
1 cœur de laitue
2 pommes bien sucrées
1 petit bulbe de fenouil
1/2 oignon rouge
4 noix

Pour la vinaigrette
1 pot de yaourt nature maigre
2 c. à soupe de mayonnaise allégée (recette page 332)
1 c. à soupe de persil frisé haché
1/2 c. à café de graines de fenouil
fleur de sel, poivre noir

Découper les pommes en petits cubes. Émincer très finement le céleri branche, l'oignon et le fenouil. Confectionner la sauce en mélangeant le yaourt, la mayonnaise, l'oignon, le persil et les graines de fenouil. Rectifier l'assaisonnement. Mélanger la sauce avec les légumes. Dresser la salade sur les feuilles de laitue. Décorer avec des morceaux de noix. Servir bien frais.

> 115 kcal / 4 g de lipides

salade acide-amer

POUR **4** PERSONNES • **15** MINUTES DE PRÉPARATION

1 romaine
2 endives
2 pamplemousses jaunes
quelques feuilles de chicorée et/ou de pissenlit
1 branche d'estragon
2 c. à café de câpres au sel
quelques copeaux de parmesan (facultatif)

Pour la vinaigrette
2 c. à soupe d'huile d'olive
1 c. à soupe de vinaigre de Xérès
sel (avec parcimonie), poivre

Éliminer le cœur des endives. Supprimer les feuilles extérieures de la romaine. Émincer finement les salades. Peler à vif les pamplemousses et prélever les quartiers. Effeuiller l'estragon. Mélanger les salades, les câpres, les feuilles de chicorée et/ou de pissenlit et les feuilles d'estragon. Réaliser la vinaigrette. Ajouter à la salade et bien mélanger. Rectifier l'assaisonnement. Servir aussitôt, décoré des copeaux de parmesan et des quartiers de pamplemousses.

> 80 kcal / 5 g de lipides

salade corse

POUR **4** PERSONNES • **10** MINUTES DE PRÉPARATION

8 fines tranches de coppa
1 salade croquante (laitue iceberg)
8 châtaignes cuites (en conserve, égouttées)
40 g de tomme de brebis corse
2 c. à soupe de raisins blonds secs
4 quartiers de tomates séchées

Pour la vinaigrette
2 c. à soupe d'huile de noisette
1 c. à soupe de vinaigre balsamique
sel, poivre

Nettoyer la salade, la laver et l'essorer. La découper finement. Détailler la coppa en lamelles. Rincer les châtaignes. Émietter la tomme et les châtaignes. Mélanger les ingrédients. Préparer la vinaigrette et la mélanger à la salade. Répartir sur une assiette. Parsemer de raisins secs. Servir aussitôt, décoré des tomates séchées.

> 150 kcal / 10 g de lipides

salade presque toute verte

POUR **4** PERSONNES • **15** MINUTES DE PRÉPARATION

1 sachet de mâche
60 g de fourme d'Ambert
8 champignons de Paris
2 tranches de pain rassis
quelques pistaches décortiquées

Pour la vinaigrette
2 c. à soupe d'huile de pistache
3 c. à soupe de vinaigre de cidre
fleur de sel, poivre blanc du moulin

Brosser, éplucher et émincer les champignons. Découper la fourme en petits cubes. Tailler des croûtons dans les tranches de pain. Les faire dorer dans une poêle antiadhésive chaude en les mélangeant régulièrement. Préparer la vinaigrette. Répartir la salade sur des assiettes plates, disposer les ingrédients et napper de la vinaigrette. Servir aussitôt.

> 200 kcal / 8 g de lipides

salade de thon mariné au gingembre

POUR **4** PERSONNES • **30** MINUTES DE MARINADES • **15** MINUTES DE PRÉPARATION

250 g de pavé de thon frais
1/2 chou chinois (ou à défaut du chou vert frisé)
1 bonne poignée de soja frais
8 radis ronds
2 tomates
gingembre mariné

Pour la vinaigrette
1 jus de citron vert
1/2 botte de persil
1 c. à café de coriandre moulue
sel, poivre

Pour la marinade
1 jus de citron jaune
2 c. à soupe d'huile de sésame
1 c. à soupe de sauce soja
1 pincée de piment d'Espelette

Découper le pavé de thon en fines tranches. Réaliser la marinade en mixant les ingrédients dans un robot (ajouter éventuellement un peu d'eau). Napper les morceaux de thon. Réserver au frais pendant 30 minutes au minimum. Pendant ce temps, découper le chou en fines lanières. Émonder les tomates. Préparer les radis et les découper en quatre. Rincer le soja. Mélanger harmonieusement tous les légumes et les assaisonner avec la vinaigrette. Égoutter les morceaux de thon et les répartir sur les assiettes. Servir bien frais accompagné du gingembre mariné.

> **215** kcal / 9 g de lipides

salade de langoustines

POUR **4** PERSONNES • **30** MINUTES DE PRÉPARATION

1 salade feuille de chêne
1/2 petite courgette
12 tomates cocktail
2 c. à soupe de parmesan râpé
12 (ou 16) langoustines décortiquées
quelques feuilles de basilic

Pour la vinaigrette
1 jus de citron jaune
1 c. à soupe d'huile d'olive
1 c. à café de vinaigre balsamique
fleur de sel, poivre

Laver la courgette (sans l'éplucher) et la découper en petits cubes. Éplucher, laver et hacher grossièrement la salade. Préparer la vinaigrette. Répartir la salade pour le service dans de grands bols. Ajouter les tomates coupées en deux ou en quatre, les cubes de courgettes et les langoustines. Verser la vinaigrette sur la préparation sans mélanger. Saupoudrer délicatement de parmesan. Servir décoré avec le basilic.

> 190 kcal / 7 g de lipides

salade de boulgour

POUR **4** PERSONNES • **20** MINUTES DE PRÉPARATION • **25** MINUTES DE CUISSON

4 tranches de bacon
4 tranches de jambon cru dégraissé
100 g de boulgour
1/2 échalote
100 g de mesclun
2 petites c. à soupe de pignons de pin
quelques tomates cerise (facultatif)

Pour la vinaigrette
2 c. à soupe de ciboulette ciselée
2 c. à soupe de vinaigre de vin blanc
4 c. à café d'huile de noix
sel, poivre

Faire griller le bacon, à sec, dans une poêle antiadhésive. Le laisser refroidir et le découper en fines lanières, tout comme le jambon. Faire cuire le boulgour dans de l'eau bouillante salée selon les instructions figurant sur le paquet. Le rincer à l'eau froide. Émincer l'échalote. Rincer le mesclun. Mélanger harmonieusement tous les ingrédients et assaisonner avec la vinaigrette. Décorer de tomates cerise.

> 180 kcal / 5 g de lipides

salade de vermicelles au bœuf

POUR **4** PERSONNES • **15** MINUTES DE PRÉPARATION • **10** MINUTES DE CUISSON

200 g de rumsteck
80 g de vermicelles de riz
100 g de haricots verts extrafins
100 g de pousses de soja
persil frisé
graines de coriandre

Pour la vinaigrette
le jus de 2 citrons
2 c. à soupe d'huile piquante à pizza

Faire griller la viande jusqu'à la cuisson désirée. La laisser refroidir avant de la découper en fines tranches. Faire cuire les vermicelles de riz dans de l'eau bouillante (2 minutes). Les rincer à l'eau froide. Couper les haricots en julienne. Rincer le soja. Mélanger harmonieusement tous les ingrédients. Assaisonner avec la vinaigrette. Décorer avec le persil et la coriandre.

> 210 kcal / 7 g de lipides

salade de céleri au radis noir

POUR 4 PERSONNES • 20 MINUTES DE PRÉPARATION • 8 MINUTES DE CUISSON

1/2 céleri-rave
2 petites carottes
2 petits radis noirs
quelques tomates cerise
2 c. à soupe de jus de citron vert
1 pot de yaourt « bulgare » nature maigre
1 gousse d'ail écrasée (sans le germe)
1 c. à soupe de persil frais haché
1 c. à soupe d'estragon haché
1/2 c. à soupe de graines de moutarde moulues
sel de Guérande, poivre

Découper le céleri-rave et les carottes en fins bâtonnets. Les plonger dans de l'eau bouillante additionnée du jus de citron pendant 5 à 8 minutes pour les attendrir. Les égoutter et les laisser refroidir. Peler les radis et les tailler en lamelles avec un économe. Réserver ces sortes de « tagliatelles ». Confectionner la sauce en mélangeant le yaourt, l'ail, le persil, l'estragon et les graines de moutarde. Rectifier l'assaisonnement. Dresser les « tagliatelles » de radis en forme de nid puis ajouter les bâtonnets refroidis et les tomates et napper de sauce. Servir bien frais.

> 95 kcal / 0 g de lipides

salade de pâtes au bœuf

POUR 4 PERSONNES • 20 MINUTES DE PRÉPARATION • 20-25 MINUTES DE CUISSON

400 g de filet de bœuf
250 g de pâtes
250 g de tomates cerise
1 échalote
1 petite courgette
100 g de mesclun
thym

Pour la vinaigrette
2 c. à soupe de thym frais
2 c. à soupe de vinaigre de Xérès
4 c. à café d'huile d'olive
sel, poivre

Faire griller le morceau de viande jusqu'à la cuisson désirée (il doit être coloré). Le laisser refroidir et le découper en fines tranches. Faire cuire les pâtes dans de l'eau bouillante salée. Les rincer à l'eau froide. Couper la courgette en petits cubes. Émincer l'échalote. Rincer le mesclun. Mélanger harmonieusement tous les ingrédients et assaisonner avec la vinaigrette. Décorer d'un petit brin de thym frais.

> 270 kcal / 5 g de lipides

salade de crevettes au melon

POUR **4** PERSONNES • **30** MINUTES DE PRÉPARATION

1 melon d'eau jaune
1 petit concombre
200 g de crevettes décortiquées
quelques feuilles de menthe
quelques feuilles de citronnelle

Pour la vinaigrette
1 jus de citron
2 à 3 gouttes de Tabasco
sel, poivre

Couper le melon pour l'épépiner. Laver le concombre (sans l'éplucher). Découper concombre et melon en petits morceaux de forme choisie et régulière. Hacher grossièrement les herbes. Mélanger le tout aux crevettes et mettre au réfrigérateur. Répartir pour le service. Verser la vinaigrette sur la préparation et mélanger délicatement. Servir très frais.

L'esthétisme de la recette réside dans la régularité de la découpe du melon et du concombre. Pour un plat plus « chic », vous pouvez remplacer les crevettes par des écrevisses.

> 100 kcal / 1 g de lipides

salade aux accents du Sud

POUR 4 PERSONNES • 40 MINUTES DE PRÉPARATION • 60 MINUTES DE CUISSON

1 poivron vert
1 poivron jaune
2 petites aubergines
250 g de tomates cerise
1 échalote ou 1 oignon nouveau rouge
3 c. à soupe de coriandre fraîche ciselée
100 g de roquette
2 c. à soupe de pignons de pin
1 petite boîte d'anchois égouttés
quelques graines de coriandre pour la décoration

Pour la vinaigrette
2 c. à soupe de vinaigre de Xérès
2 c. à soupe d'huile d'olive
4 c. à soupe de jus de citron
2 c. à café de coriandre en poudre
sel, poivre

Préchauffer le four en position gril. Couper les poivrons en deux. Les épépiner. Les placer, côté bombé vers le haut, dans un plat allant au four ou sur la lèchefrite. Les faire griller jusqu'à ce que la peau noircisse et boursoufle. Les enfermer pendant 5 minutes dans du papier aluminium. Les peler : la peau doit se détacher facilement. Découper chaque demi-poivron en lanières. Monter la température à 210 °C (th. 7). Piquer les aubergines au couteau. Les enfourner entières pour 30 minutes. Piquer pour vérifier la cuisson. Laisser refroidir. Les découper en gros cubes. Émincer l'échalote. Faire tremper les anchois dans de l'eau chaude, les égoutter et les essuyer. Couper les tomates en deux. Mélanger tous les ingrédients et assaisonner avec la vinaigrette. Rectifier l'assaisonnement. Décorer de graines de coriandre.

> 80 kcal / 5 g de lipides

à l'heure du brunch

piperade

POUR **4** PERSONNES • **5** MINUTES DE PRÉPARATION • **20** MINUTES DE CUISSON

4 œufs
45 cl de lait écrémé
1 poivron rouge
1 poivron vert
1 poivron jaune
2 oignons rouges
3 tomates bien mûres
2 gousses d'ail écrasées sans le germe
1 c. à soupe d'huile d'olive
2 c. à café de basilic
quelques feuilles de basilic
sel, poivre

Laver tomates et poivrons sous l'eau courante. Éplucher les oignons. Émincer finement les oignons ainsi que les poivrons. Plonger les tomates 2 minutes dans de l'eau bouillante puis ôter leur peau. Faire sauter et dorer les oignons dans une sauteuse chaude. Ajouter les poivrons, les tomates, l'ail et le basilic. Saler, poivrer et laisser cuire à couvert 10 minutes à feu doux (mouiller avec un peu d'eau si nécessaire). Ajouter l'huile d'olive. Dans un saladier, battre les œufs en omelette avec le lait. Saler, poivrer. Verser sur la compote de légumes. Bien faire cuire. Savourer tiède ou froid avec des mouillettes toastées. Décorer avec des feuilles de basilic.

> 200 kcal / 10 g de lipides

rouleaux de poivrons farcis

POUR **4** PERSONNES • **15** MINUTES DE PRÉPARATION • **15** MINUTES DE CUISSON

2 gros poivrons rouges
2 gros poivrons jaunes
1 petite courgette
1 petite carotte
1 petite boîte de mini-épis de maïs
1 mozzarella
quelques feuilles de jeunes pousses de salade
quelques tomates cerise
quelques feuilles de sarriette
sel, poivre

Pour la vinaigrette
4 c. à soupe d'huile de noix
2 c. à soupe de vinaigre de cidre
sel, poivre

Mettre le four à préchauffer en position gril. Découper les poivrons en deux. Les épépiner. Les placer, côté bombé vers le haut, dans un plat allant au four ou sur le lèchefrites. Les faire griller jusqu'à ce que la peau noircisse et boursoufle. Les enfermer pendant 5 minutes dans du papier aluminium. Les peler : la peau doit se détacher très facilement. Saler, poivrer l'intérieur. Peler la carotte et la courgette, les couper en petits bâtonnets assez fins. Émietter la mozzarella. Garnir chaque demi-poivron avec les légumes et le fromage. Rouler serré et fixer l'ensemble avec un pique-olive. Découper les extrémités pour avoir une jolie présentation. Dresser sur un lit de pousses de salade, arroser de vinaigrette puis décorer de tomates cerise découpées et de feuilles de sarriette.

> 220 kcal / 10 g de lipides

bouchées de courgettes
au fromage frais

POUR **4** PERSONNES • **20** MINUTES DE PRÉPARATION • **20** MINUTES DE CUISSON

2 courgettes fermes
1 fromage frais (brocciu ou brousse)
2 c. à soupe de carvi (ou de cumin)
2 c. à soupe de coriandre fraîche hachée
2 c. à soupe d'huile d'olive
1 pincée de piment d'Espelette
sel, poivre

Couper les pointes des courgettes et peler régulièrement au zester. Les trancher en rondelles de 2 cm. Les pocher 3 ou 4 minutes dans de l'eau bouillante salée. Elles doivent rester fermes. Les rafraîchir et les égoutter. Les laisser refroidir sur un papier absorbant. À l'aide d'une petite cuillère, enlever un peu de graines au milieu des rondelles sans trouer les fonds. Écraser le fromage à la fourchette dans un saladier. Ajouter la coriandre, le carvi, le piment et l'huile d'olive. Rectifier l'assaisonnement. Essuyer les rondelles de courgettes. Les garnir de la préparation. Servir bien frais sur un lit de salade ou à l'apéritif.

> 85 kcal / 7 g de lipides

œufs mollets aux girolles

POUR **4** PERSONNES • **15** MINUTES DE PRÉPARATION • **15** MINUTES DE CUISSON

600 g de girolles
8 œufs
10 g de beurre
4 petites tranches de pain de mie
8 tranches de bacon
1 pincée de cumin en poudre
1 gousse d'ail émincée (sans le germe)
persil ciselé (facultatif)
8 petites morilles (facultatif)
fleur de sel, poivre

Nettoyer les champignons, les sécher et les découper. Faire chauffer le beurre dans une poêle et faire sauter les girolles et l'ail pendant 5 à 6 minutes en remuant fréquemment. Dans le même temps, toaster le pain de mie et garder au chaud. Passer le bacon au gril et garder au chaud. Assaisonner les champignons. Réserver au chaud. Dans la même poêle chaude, faire revenir quelques instants les morilles et garder au chaud. Faire cuire les œufs mollets : 5 minutes à l'eau frémissante salée. Écaler avec précaution. Dresser, dans une assiette, sur un lit de girolles, une demi-tranche de pain de mie et une tranche de bacon par œuf. Assaisonner les œufs et saupoudrer de cumin. Au moment de servir, tailler une fente dans les œufs pour faire couler le jaune.

> 295 kcal / 20 g de lipides

tomates farcies « autrement »

POUR **4** PERSONNES • **10** MINUTES DE PRÉPARATION • **5** MINUTES DE CUISSON

4 grosses tomates
6 tranches de jambon cuit découenné dégraissé
1 fromage frais (style Carré frais)
1 c. à café de basilic
4 pincées de paprika

Préchauffer le four en position gril. Couper les tomates en deux, puis les évider. Mixer grossièrement le jambon, le basilic et le fromage. Farcir les tomates avec la préparation. Saupoudrer de paprika. Faire dorer sous le gril. Servir avec une salade.

> 155 kcal / 5 g de lipides

tomates glacées

POUR **4** PERSONNES • **10** MINUTES DE PRÉPARATION

4 grosses tomates
1 petite courgette bien ferme
1 oignon blanc finement émincé
2 gousses d'ail écrasées sans le germe
1 petit pot de fromage blanc à 0 % de matière grasse
1 jus de citron vert
2 c. à soupe d'origan ciselé
quelques feuilles d'origan frais (facultatif)
sel, poivre

Découper le haut des tomates. Les évider et réserver la chair. La découper, ainsi que la courgette, en petits morceaux. Placer dans un saladier. Ajouter les autres ingrédients. Bien mélanger. Rectifier l'assaisonnement. Farcir l'intérieur des tomates avec le mélange. Mettre au réfrigérateur. Dix minutes avant de servir mettre au congélateur. Décorer de feuilles d'origan. Servir aussitôt.

> 40 kcal / 1 g de lipides

champignons farcis croustillants

POUR **4** PERSONNES • **10** MINUTES DE PRÉPARATION • **15** MINUTES DE CUISSON

12 gros champignons
2 oignons rouges émincés
4 c. à soupe d'huile
6 biscottes
2 c. à café de persil frisé haché
2 gousses d'ail écrasées sans le germe
80 g de feta
quelques feuilles de persil plat
sel, poivre

Préchauffer le four à 210 °C (th. 7). Éplucher les champignons. Réserver les queues et les hacher finement. Faire revenir les oignons avec l'huile dans une poêle chaude. Ajouter les queues et faire suer l'ensemble. Ajouter les biscottes émiettées, le persil, la feta écrasée et l'ail. Rectifier l'assaisonnement. Farcir les champignons. Les faire cuire pendant 10 à 15 minutes. Décorer de quelques feuilles de persil et servir chaud.

Une variante, plus riche en lipides, consiste à utiliser comme farce du chorizo et des jaunes d'œufs durs ou des olives avec des anchois... Une suggestion originale : de la brandade de morue nîmoise... un délice !

> 150 kcal / 7 g de lipides

mini keftas

POUR **4** PERSONNES • **10** MINUTES DE PRÉPARATION • **15** MINUTES DE CUISSON

125 g de rouelle de porc dégraissée
1 escalope de veau
1 tranche de jambon émincée
4 tranches de bacon émincées
2 biscottes
2 blancs d'œufs
1 c. à soupe de sauge ciselée
1 c. à soupe de persil frisé ciselé
1 c. à soupe d'estragon ciselé
sel, poivre

Préchauffer le four à 210 °C (th. 7). Hacher le porc et le veau.
Écraser les biscottes. Placer tous les ingrédients dans un saladier. Bien mélanger.
Rectifier l'assaisonnement. Façonner des petites boulettes et dresser
sur une feuille de papier sulfurisé. Faire cuire (environ 15 minutes) jusqu'à obtenir
une jolie couleur. Servir chaud avec des pique-olives et un ravier de moutarde
parfumée.

Cette préparation peut servir de farce à des légumes : champignons, courgettes, poivrons, etc.

> 235 kcal / 10 g de lipides

tartelettes aux tomates confites

POUR **4** PERSONNES • **10** MINUTES DE PRÉPARATION • **20** MINUTES DE CUISSON

2 poivrons jaunes
4 c. à soupe de vinaigre balsamique
2 c. à soupe de miel
4 feuilles de brick (ou de pâte filo)
200 g de tomates confites nature
1 gousse d'ail écrasée sans le germe
origan
40 g d'emmenthal râpé
huile
sel, poivre

Mettre le four à préchauffer à 180 °C (th. 6). Ôter la peau des poivrons après les avoir passés sur le gril du four jusqu'à ce qu'elle soit noircie. Épépiner et couper en lanières. Dans une poêle, faire un « sirop » avec le miel et le vinaigre. Laisser réduire. Ajouter les poivrons et l'ail. Mélanger. Réserver. Découper la feuille de brick en quatre. Au pinceau, huiler légèrement les morceaux. Les disposer dans des moules individuels. Alterner le sens des feuilles en les superposant. Mettre au four chaud pendant 5 minutes. Garnir de la fondue de poivrons. Ajouter les tomates confites, l'origan et 10 g d'emmenthal sur chaque tartelette. Poursuivre la cuisson pendant 5 minutes. Servir chaud.

> 110 kcal / 2 g de lipides

130

scones au fromage frais

POUR **4** PERSONNES • **10** MINUTES DE PRÉPARATION • **20** MINUTES DE CUISSON

250 g de farine tamisée
1 sachet de levure chimique
1 c. à café de graines de sésame
1 c. à café de graines de pavot
100 g de fromage frais allégé aux fines herbes
10 cl de lait écrémé
huile
sel, poivre

Préchauffer le four à 210 °C (th. 7). Mélanger correctement la farine, la levure, le fromage et les graines dans un saladier. Ajouter progressivement le lait. Le mélange doit être homogène. Dresser des boules régulières de pâte sur une plaque préalablement huilée (ou sur une feuille antiadhésive). Faire cuire pendant 15 à 20 minutes. Décorer de fromage frais et servir tiède.

> 270 kcal / 4 g de lipides

club sandwichs

8 tranches de pain de mie complet légèrement toastées
4 tranches de blanc de dinde fumé
4 c. à café de moutarde à l'ancienne
4 c. à café de ketchup
4 cornichons
1 tomate
4 tomates séchées
8 fines tranches de courgettes crues
quelques feuilles de roquette
4 feuilles de basilic

Napper quatre tranches de pain avec le ketchup, quatre autres avec la moutarde. Superposer une tranche de pain, une tranche de blanc de dinde, une tranche de pain, une couche de tomates coupées en rondelles et de tomates séchées, une tranche de pain, une couche de courgettes, de roquette et de cornichons et terminer par une tranche de pain. Découper le blanc de dinde dépassant les tranches. Puis découper le sandwich en deux par la diagonale. Planter deux piques à apéritif dans le sandwich afin de maintenir chaque moitié. Ajouter les feuilles de basilic.

> 185 kcal / 5 g de lipides

pancakes au jambon

POUR **4** PERSONNES • **10** MINUTES DE PRÉPARATION • **15** MINUTES DE CUISSON

150 g de farine
1 sachet de levure chimique
2 blancs d'œufs
16 cl de lait écrémé
40 g de beurre (facultatif selon l'ustensile de cuisson utilisé)
2 tranches de jambon cru
4 tomates séchées
1 c. à soupe de graines de moutarde
persil plat
sel, poivre

Placer, dans un saladier, la farine et la levure en puits. Ajouter doucement le lait et mélanger avec les œufs. Rectifier l'assaisonnement et ajouter les graines de moutarde. Faire chauffer un peu de beurre dans une poêle ordinaire ou dans un ustensile antiadhésif pour cuire les pancakes. Verser quatre petites louches (soit la moitié de la préparation) de pâte en les espaçant bien. Faire cuire jusqu'à obtenir une jolie couleur. Réserver au chaud. Faire de même avec le restant de la pâte. Déposer sur une feuille de papier absorbant. Couper les tomates et les tranches de jambon en deux. Dresser. Servir chaud parsemé de feuilles de persil plat.

> 220 kcal / 3 g de lipides

asperges aux œufs brouillés

POUR **4** PERSONNES • **5** MINUTES DE PRÉPARATION • **10** MINUTES DE CUISSON

6 œufs + 2 blancs d'œufs
1 botte d'asperges vertes (ou à défaut un bocal d'asperges)
4 tranches de bacon
1 c. à soupe de persil plat ciselé
1/2 c. à café de cumin en poudre
quelques copeaux de parmesan
sel, poivre

Faire cuire les asperges dans une grande casserole d'eau salée. Goûter et égoutter quand elles sont tendres. Découper le bacon en fines lanières. Préparer l'omelette en battant les œufs entiers. Rectifier l'assaisonnement. Ajouter le cumin et le persil. Battre les blancs en neige ferme avec une pincée de sel. Incorporer à l'omelette. Faire cuire la moitié de la préparation, dans une poêle chaude jusqu'à obtenir une jolie couleur. Ajouter la moitié des asperges et du bacon sur la face non cuite. Mélanger. Poursuivre la cuisson à feu doux. Servir aussitôt parsemé de copeaux de parmesan.

> 165 kcal / 9 g de lipides

crêpes aux épinards et au thon

POUR 4 PERSONNES • 15 MINUTES DE PRÉPARATION • 20 MINUTES DE CUISSON • 30 MINUTES DE REPOS

120 g de farine de blé noir (sarrasin)
1 œuf
15 cl de lait écrémé
125 g d'épinards hachés (surgelés ou en conserve) bien égouttés
350 g de thon au naturel égoutté
1 c. à café de paprika
4 c. à soupe de crème fraîche épaisse allégée
2 c. à soupe de coriandre fraîche ciselée
sel, poivre

Réaliser une pâte à crêpes : creuser un puits dans la farine placée dans un saladie,. ajouter l'œuf battu et une pincée de sel, puis incorporer progressivement 15 cl d'eau et le lait. Laisser reposer au frais pendant 30 minutes. Ajouter les épinards et rectifier l'assaisonnement. Préparer la farce en mélangeant le thon avec la crème, le paprika et la coriandre. Rectifier l'assaisonnement. Conserver au frais. Faire cuire les crêpes (deux petites par personne). Farcir avec la préparation au thon. Servir chaud avec une salade.

Une variante consiste à remplacer le thon par de la chair de crabe, des crevettes ou encore du blanc de poulet en dés.

> 280 kcal / 5 g de lipides

frittata aux petits pois
et à la truite fumée

POUR **4** PERSONNES • **5** MINUTES DE PRÉPARATION • **15** MINUTES DE CUISSON

6 œufs + 2 blancs d'œufs
1 blanc de poireau émincé
2 tranches de truite fumée coupée en deux
1/2 oignon émincé
10 cl de lait écrémé
1 poignée de petits pois surgelés décongelés
4 c. à café de crème fraîche allégée épaisse
quelques pousses d'épinards
sel, poivre

Faire cuire, à l'eau salée, les petits pois dans une casserole. Goûter et égoutter quand ils sont tendres. Faire sauter l'oignon et suer le poireau dans une poêle chaude. Préparer l'omelette en battant les œufs entiers avec le lait. Rectifier l'assaisonnement. Battre les blancs en neige ferme avec une pincée de sel, puis les incorporer à l'omelette avec les petits pois et le mélange poireau-oignon. Faire cuire la moitié de la préparation dans une poêle chaude jusqu'à obtenir une jolie couleur. Retourner l'omelette afin de cuire l'autre face. Répéter l'opération. Servir chaud avec une cuillerée de crème et la truite fumée. Parsemer de pousses d'épinards.

> 200 kcal / 10 g de lipides

polenta au Serrano

POUR **4** PERSONNES • **10** MINUTES DE PRÉPARATION • **20** MINUTES DE CUISSON • **1** HEURE DE RÉFRIGÉRATON

25 cl de lait écrémé
125 g de polenta
1 c. à soupe d'oignons frits
lait
4 tranches de Serrano (à défaut, de jambon cru)
huile
quelques tomates séchées
quelques feuilles de marjolaine (ou d'origan) fraîches
sel, poivre

Cuire la polenta dans une casserole avec 50 cl de liquide chaud (25 cl d'eau et 25 cl de lait) et salé, sans cesser de remuer après l'avoir versée en pluie. Elle doit se détacher de la paroi. Ajouter les oignons frits. Rectifier l'assaisonnement. Huiler légèrement un grand moule à bord haut. Répartir la polenta en une couche de 1 cm. Laisser refroidir au réfrigérateur au moins 1 heure. Découper des formes (au choix) à l'emporte-pièce. Faire dorer chaque face à sec, dans une poêle antiadhésive . Découper le Serrano. Garnir les morceaux de polenta. Décorer de tomates séchées et de feuilles de marjolaine. Servir froid.

> 210 kcal / 5 g de lipides

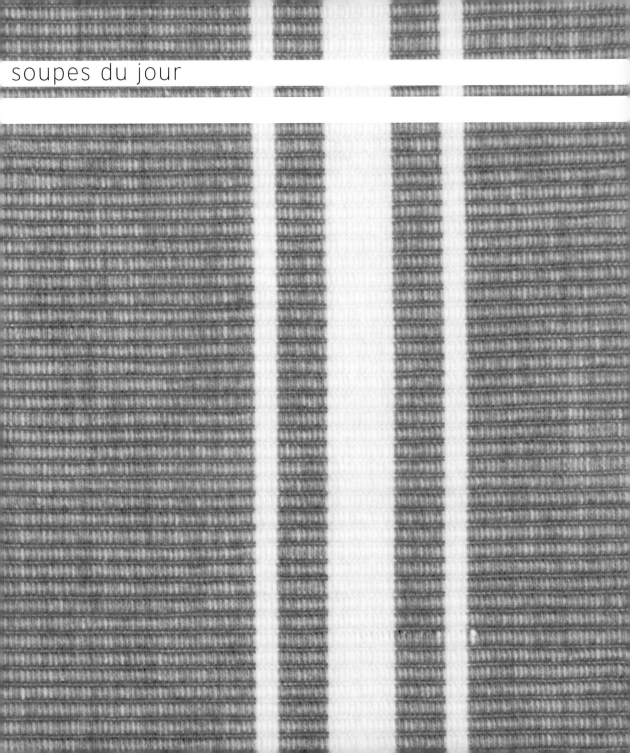

soupes du jour

soupe de coques safranée

POUR **4** PERSONNES • **10** MINUTES DE PRÉPARATION • **20** MINUTES DE CUISSON

1 l de coques
1 échalote émincée
1 petit poireau finement détaillé
1 petite branche de céleri
1 petite carotte taillée en julienne
1 c. à soupe d'huile de tournesol
1 verre de vin blanc sec
2 c. à soupe de fond de poisson déshydraté
4 pistils de safran (ou une dosette de safran en poudre)
2 c. à soupe de crème fraîche allégée
le zeste d'un citron jaune non traité
sel, poivre

Faire revenir l'échalote avec le poireau et l'huile dans une poêle. Réserver.
Dans un fait-tout, porter à ébullition quatre grands verres d'eau, le vin, la branche
de céleri. Ajouter les coques. Fermer le fait-tout pour les faire ouvrir (7 à 8 minutes).
Égoutter, jeter la branche de céleri, réserver le jus et prélever les coques. Garder
quatre coquilles entières. Mettre le jus à nouveau dans le fait-tout. Ajouter le fond
de poisson, le safran, le poireau cuit et la carotte. Rectifier l'assaisonnement de la soupe.
Faire mijoter à petits bouillons pendant 5 minutes. Ajouter les coques et la crème.
Poursuivre la cuisson à feu doux pendant 5 minutes. Verser la soupe
dans des assiettes creuses et répartir les coques. Décorer avec les coquilles et les zestes
de citron. Déguster chaud.

> 85 kcal / 5 g de lipides

soupe de crevettes citronnée

POUR 4 PERSONNES • 10 MINUTES DE PRÉPARATION • 15 MINUTES DE CUISSON

200 g de crevettes décortiquées (des bouquets de préférence)
1 c. à café de gingembre en poudre
1/2 petit piment haché
2 c. à soupe de fond de poisson déshydraté
50 g de champignons noirs secs
1 citron jaune non traité : zeste et jus
1 citron vert non traité : zeste et jus
1 tige de citronnelle
quelques feuilles de mélisse fraîche
sel, poivre

Porter à ébullition 75 cl d'eau dans une casserole. Ajouter le fond de poisson, le gingembre, le piment, les jus de citron, la tige de citronnelle (découpée finement). Couper délicatement le dos des crevettes pour éliminer le filament noir. Rectifier l'assaisonnement de la soupe. Ajouter les crevettes et les champignons grossièrement découpés. Poursuivre la cuisson à feu plus doux pendant 5 minutes. Verser la soupe dans des assiettes creuses et répartir les crevettes. Décorer avec les zestes des citrons et quelques feuilles de mélisse fraîche. Déguster chaud.

> 65 kcal / 1 g de lipides

potage de crevettes aux asperges

POUR 4 PERSONNES • 5 MINUTES DE PRÉPARATION • 10 MINUTES DE CUISSON

1 brique de velouté d'asperges
1 poireau
200 g de crevettes décortiquées
quelques brins d'aneth
le zeste d'un citron vert
sel, poivre

Couper le poireau en tronçons (de 1 cm maximum). Le faire revenir dans un fond d'eau une poêle chaude. Une fois le poireau attendri, ajouter les crevettes et les faire dorer. Rectifier l'assaisonnement. Verser le velouté dans des assiettes creuses, répartir les crevettes et le poireau. Décorer avec des brins d'aneth et le zeste de citron vert. Déguster chaud.

> 110 kcal / 3 g de lipides

soupe de bœuf aux châtaignes

POUR **4** PERSONNES • **15** MINUTES DE PRÉPARATION • **20** MINUTES DE CUISSON

350 g de filet de bœuf (ou de bœuf à fondue)
1 bouillon cube de bœuf dégraissé
2 c. à soupe de sauce soja
2 c. à soupe de vinaigre balsamique
3 c. à soupe de concentré de tomate
1 carotte taillée en julienne
1 bocal de châtaignes égouttées
150 g de lentilles corail
sel, poivre

Couper la viande en très fines lanières. Dans une grande casserole, porter 1 l d'eau à ébullition avec le bouillon cube. Ajouter tous les autres ingrédients. Rectifier l'assaisonnement. Faire cuire pendant 20 minutes (à couvert et en baissant le feu) en remuant avec une cuillère en bois de temps en temps. Déguster chaud.

> 200 kcal / 5 g de lipides

154

potage aux panais

POUR **4** PERSONNES • **15** MINUTES DE PRÉPARATION • **30** MINUTES DE CUISSON

4 gros panais
150 g de pommes de terre
1 oignon émincé
1 bouillon cube de volaille allégé
1 c. à soupe rase de poudre curry
quelques cuillerées de chapelure
sel, poivre

Faire suer l'oignon à sec dans une casserole. Ajouter les panais et les pommes de terre épluchés et découpés, le bouillon cube et 50 cl d'eau. Porter à ébullition. Rectifier l'assaisonnement. Faire cuire pendant 30 minutes (à couvert et en baissant le feu) en remuant avec une cuillère en bois de temps en temps. Mixer puis ajouter le curry. Servir dans des assiettes creuses, parsemer de chapelure et déguster bien chaud.

> 80 kcal / 2 g de lipides

potage de topinambours

POUR 4 PERSONNES • 10 MINUTES DE PRÉPARATION • 45 MINUTES DE CUISSON

8 topinambours moyens
1 oignon émincé
1 bouillon cube de volaille allégé
noix de muscade
4 c. à soupe de crème fraîche allégée
quelques feuilles de persil plat
sel, poivre

Faire suer l'oignon à sec dans une grande casserole. Ajouter les topinambours épluchés et découpés, le bouillon cube et 50 cl d'eau. Porter à ébullition. Rectifier l'assaisonnement. Faire cuire pendant 45 minutes (à couvert et en baissant le feu) en remuant avec une cuillère en bois de temps en temps. Mixer, puis ajouter la noix de muscade. Verser dans des bols. Décorer avec les feuilles de persil. Ajouter la crème fraîche. Déguster chaud.

> 110 kcal / 3 g de lipides

velouté de tomates à l'orange

POUR **4** PERSONNES • **15** MINUTES DE PRÉPARATION • **25** MINUTES DE CUISSON

8 grosses tomates (ou une grande boîte de tomates pelées en conserve)
1 oignon émincé
150 g de pommes de terre
2 c. à soupe d'estragon frais ciselé + quelques feuilles pour la décoration
1 bouillon cube de volaille allégé
1 orange : jus + zestes
Sel, poivre

Faire suer l'oignon à sec dans une casserole. Ajouter les pommes de terre épluchées et découpées, le bouillon cube et 50 cl d'eau. Faire bouillir. Peler les tomates (à l'eau bouillante) et les ajouter dans la casserole avec l'estragon. Rectifier l'assaisonnement. Faire cuire le mélange durant 20 à 25 minutes (à couvert et en baissant le feu) en remuant avec une cuillère en bois de temps en temps. Mixer puis ajouter le jus d'orange. Verser dans des bols. Décorer avec les zestes et les feuilles d'estragon. Déguster chaud ou froid.

> 100 kcal / 1 g de lipides

velouté d'épinards à la truite fumée

POUR **4** PERSONNES • **5** MINUTES DE PRÉPARATION • **15** MINUTES DE CUISSON

1 l de lait écrémé
600 g d'épinards surgelés (en galets)
200 g de truite fumée (conserver 4 fines lanières pour la décoration)
60 g de semoule de blé fine
1 c. à café d'aneth émincé + quelques feuilles pour la décoration
crème fraîche allégée
Sel, poivre blanc

Faire cuire les galets d'épinards au four à micro-ondes. Placer le lait, la truite fumée préalablement découpée en morceaux et les épinards cuits dans une casserole. Ajouter la semoule et faire épaissir le mélange durant 3 minutes en remuant avec une cuillère en bois. Ajouter l'aneth et rectifier l'assaisonnement. Verser dans des bols. Décorer avec les lanières de truite, les feuilles d'aneth et une touche de crème fraîche. Déguster rapidement.

> **225** kcal / 7 g de lipides

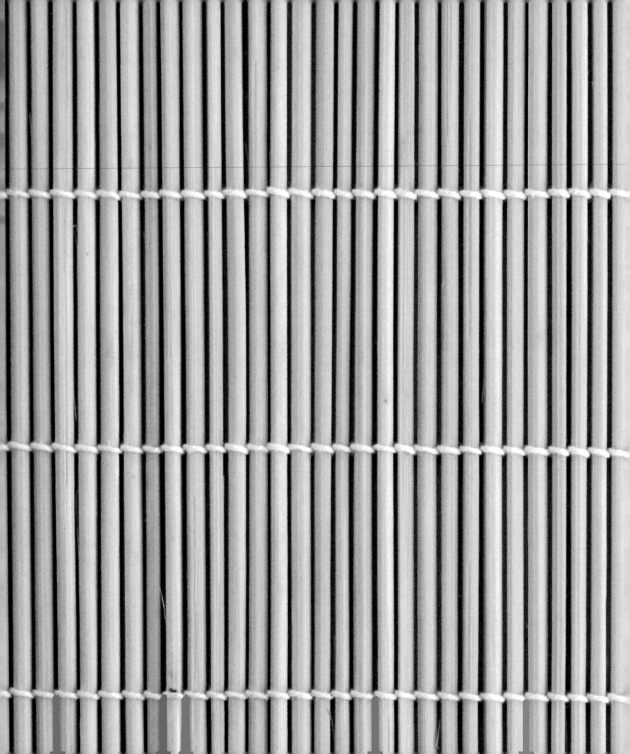

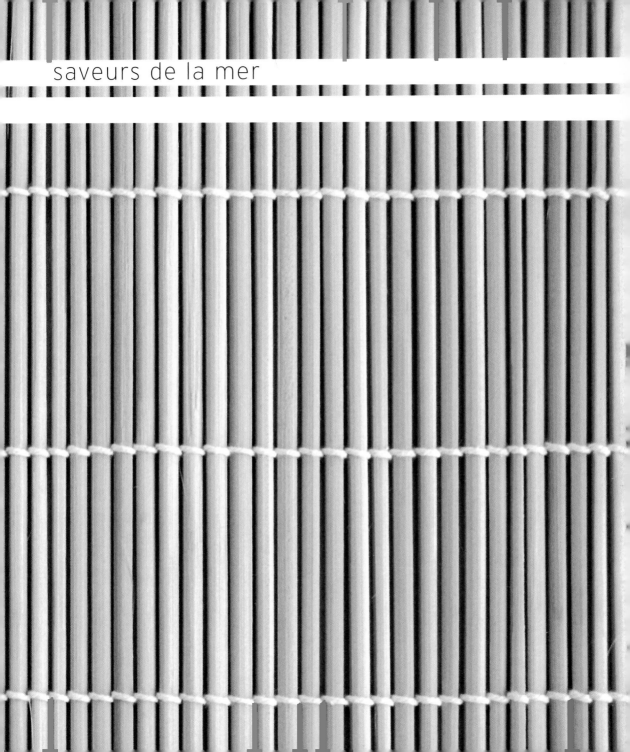

saveurs de la mer

filet de saint-pierre mariné au piment

POUR **4** PERSONNES • **15** MINUTES DE PRÉPARATION • **60** MINUTES DE MARINADE

400 g de filets de saint-pierre
le jus de 2 citrons jaunes
le jus et le zeste d'un citron vert
1 piment vert
1 branche de citronnelle fraîche
3 c. à soupe de feuilles de coriandre fraîche hachées
fleur de sel, poivre rose

Découper les filets en morceaux réguliers et assez fins. Mélanger dans un bol les jus de citron, la coriandre, la citronnelle coupée en fines lamelles et le piment finement émincé. Déposer les morceaux de poissons dans un plat et recouvrir de la préparation. Bien mélanger. Saler, poivrer. Laisser mariner, au frais, pendant 1 heure, en les retournant de temps en temps. Dresser et servir bien frais, décoré des zestes de citron.

Vous pouvez aussi placer les morceaux de poissons sur des piques en bois ou en bambou et les passer quelques minutes (en surveillant la cuisson) sous le gril bien chaud du four. Servir alors avec une crème fraîche allégée citronnée.

> 90 kcal / 2 g de lipides

haddock aux navets

POUR **4** PERSONNES • **15** MINUTES DE PRÉPARATION • **30** MINUTES DE CUISSON

500 g de filets de haddock fumé
25 cl de lait écrémé
2 bottes de navets
10 g de beurre
1 oignon émincé
1 bouillon cube de légumes
1 jus de citron
2 c. à soupe de feuilles de coriandre ciselées
quelques feuilles entières de coriandre fraîche (facultatif)
sel, poivre

Éplucher les navets et les détailler en forme régulière. Les faire cuire dans de l'eau bouillante salée avec le bouillon cube, pendant 10 à 12 minutes. Faire pocher le poisson dans une casserole avec le lait et la coriandre (si nécessaire ajouter de l'eau pour le recouvrir). Ne pas le saler. Égoutter les navets et les faire dorer avec l'oignon et le beurre dans une poêle chaude. Servir chaud avec le jus de citron et décoré de feuilles de coriandre.

> 250 kcal / 10 g de lipides

truite à la mexicaine

POUR **4** PERSONNES • **10** MINUTES DE PRÉPARATION • **30** MINUTES DE CUISSON

4 petites truites entières (sans tête)
1 poivron rouge
1 poivron vert
1 poivron jaune
2 tomates émondées
1 oignon finement émincé
1 piment rouge finement émincé
1 bouquet de coriandre fraîche
2 jus de citron
2 c. à café de baies roses non moulues
quelques feuilles de persil plat (facultatif)
sel, poivre

Préchauffer le four à 210 °C (th. 7). Farcir les poissons de feuilles de coriandre.
Laver, épépiner et couper en petits dés les poivrons. Dresser les poissons
dans un plat creux allant au four. Saler, poivrer. Répartir dessus les tomates,
les poivrons, le piment, les baies roses et l'oignon. Arroser de jus de citron.
Enfourner et faire cuire le poisson pendant 30 minutes. Servir chaud et décoré
de feuilles de persil plat.

> 220 kcal/6 g de lipides

sole aux champignons et au poivre vert

POUR 4 PERSONNES • 10 MINUTES DE PRÉPARATION • 20 MINUTES DE CUISSON

4 petites soles entières (sans peau, ni tête)
250 g de champignons de Paris
250 g de pleurotes
1/2 c. à café de poivre vert moulu
1/2 c. à café de poivre gris moulu
1/2 c. à café de baies roses moulues
1 noisette de beurre
1 gousse d'ail écrasée (sans le germe)
fines herbes
huile d'olive
fleur de sel de Guérande

Préchauffer le four à 210 °C (th. 7). Dresser les poissons sur la lèchefrite du four recouvert d'une feuille de papier sulfurisé. Les huiler, très légèrement, au pinceau (ou à l'aide d'un morceau de papier absorbant). Assaisonner avec les poivres et la fleur de sel. Nettoyer les champignons et les émincer. Les faire sauter dans une poêle chaude avec une noisette de beurre. Assaisonner et ajouter l'ail et les fines herbes. Réserver. Faire cuire le poisson pendant 15 à 20 minutes. Servir chaud.

Toute la richesse aromatique de cette recette vient du choix et de la fraîcheur des produits ! Les poivres ne sont là que pour réveiller les papilles gustatives. Vous pouvez choisir des champignons plus « nobles » et parfumés comme des morilles, des trompettes-de-la-mort, des chanterelles, mais éviter les cèpes.

> 170 kcal / 5 g de lipides

cabillaud aux herbes fraîches et au lait de coco

POUR **4** PERSONNES • **10** MINUTES DE PRÉPARATION • **20** MINUTES DE CUISSON

4 filets de cabillaud (ou autre poisson blanc)
les pousses de 2 oignons grelot
1 petit piment vert émincé
1 c. à café de graines de coriandre
1 c. à café de coriandre moulue
4 c. à soupe de coriandre fraîche ciselée
2 c. à soupe de citronnelle fraîche ciselée
25 cl de lait de coco
1 oignon émincé
2 c. à soupe d'huile
sel, poivre

Faire revenir les pousses d'oignons avec l'huile dans une poêle chaude. Ajouter tous les autres ingrédients. Saler, poivrer. Faire pocher les filets dans le mélange pendant 15 minutes. Rectifier l'assaisonnement de la sauce après l'avoir goûtée. Servir les filets nappés de sauce.

> 320 kcal / 20 g de lipides

truite grillée aux pêches

POUR **4** PERSONNES • **10** MINUTES DE PRÉPARATION • **15** MINUTES DE CUISSON

4 truites sans la tête
1 c. à soupe de sucre
1 c. à soupe de vinaigre balsamique
2 c. à café de sauce soja
4 pêches épluchées
2 pincées de cannelle
1 oignon émincé
2 c. à soupe d'huile
sel, poivre

Préparer le barbecue et une grille propre légèrement huilée (un gril articulé assurera une cuisson plus aisée). Faire revenir l'oignon avec l'huile dans une sauteuse chaude. Déglacer au vinaigre. Ajouter la sauce soja et le sucre. Faire chauffer quelques instants. Ajouter les pêches découpées en petits cubes et la cannelle. Bien mélanger. Rectifier l'assaisonnement. Laisser réduire. Pendant ce temps, saler et poivrer les poissons et les faire cuire 6-7 minutes par face. Servir chaud avec la sauce aux pêches.

> 280 kcal / 10 g de lipides

steaks de thon épicés

POUR **4** PERSONNES • **15** MINUTES DE PRÉPARATION • **15** MINUTES DE CUISSON

4 steaks de thon (d'environ 125 g chacun)
2 citrons verts non traités
1 citron jaune non traité
1 gousse d'ail écrasée sans le germe
2 c. à café de graines de moutarde
2 c. à café de graines de fenouil
2 c. à soupe d'huile
1 mangue fraîche
sel, poivre

Prélever le zeste des citrons verts avant de les presser. Piler les graines de moutarde et de fenouil au mortier avec les jus et zestes des citrons verts, l'ail et l'huile. Ajouter 2 cuillerées à soupe d'eau si nécessaire (pour augmenter le volume). Faire chauffer une poêle « à sec ». Enduire les steaks du mélange. Saler et poivrer. Faire dorer sur chaque face. Servir chaud avec des morceaux de mangue poêlés et décorer de zestes de citron jaune.

> 240 kcal / 13 g de lipides

curry de flétan

POUR **4** PERSONNES • **5** MINUTES DE PRÉPARATION • **15** MINUTES DE CUISSON

500 g de filets de flétan
1 sachet de court-bouillon
1 petit piment vert découpé finement
1 yaourt nature maigre brassé
1/2 c. à café de poudre de piment doux
2 c. à soupe de curry en poudre
2 c. à soupe de sauce soja
2 gousses d'ail écrasées sans le germe
1 c. à café de gingembre en poudre
1 oignon émincé
2 c. à soupe d'huile
quelques feuilles de coriandre fraîche
sel, poivre

Préparer un court-bouillon. Faire pocher les filets de poisson pendant 10 minutes dans un court-bouillon. Égoutter et émietter la chair. Faire revenir l'oignon et l'ail avec l'huile dans un wok chaud. Ajouter le piment, le curry et le gingembre. Faire chauffer quelques minutes. Ajouter la chair de poisson émiettée, le yaourt et la sauce soja. Bien mélanger. Rectifier l'assaisonnement. Servir chaud et décorer de feuilles de coriandre fraîche.

> 205 kcal / 10 g de lipides

bar au gingembre

POUR **4** PERSONNES • **10** MINUTES DE PRÉPARATION • **15** MINUTES DE CUISSON

2 bars entiers (ou en filets)
2 petits poireaux
1 carotte
1 ciboule
1 racine de gingembre frais
2 c. à soupe de vinaigre de vin blanc
2 c. à soupe de sauce soja
sel, poivre

Découper les poireaux et la carotte en julienne. Râper la racine de gingembre et découper la ciboule très finement. Mélanger le gingembre, le vinaigre et la sauce soja aux légumes dans un saladier. Découper quatre feuilles de papier aluminium. Placer au centre un filet de bar recouvert d'un quart du mélange. Saler, poivrer. Fermer hermétiquement la papillote. Enfourner ou faire cuire au barbecue (en veillant à ne pas percer la papillote). Laisser cuire 15 minutes, en retournant à mi-cuisson. Servir avec une coupelle de sauce soja.

> 140 kcal / 5 g de lipides

thon aux petits légumes doux

POUR **4** PERSONNES • **15** MINUTES DE PRÉPARATION • **25** MINUTES DE CUISSON

4 steaks (ou longe) de thon (d'environ 125 g chacun)
2 patates douces moyennes
1 petite aubergine
le zeste d'un citron vert
8 kumquats
huile
sel, poivre

Éplucher les patates douces. Trancher en rondelles assez épaisses les patates et l'aubergine. Faire cuire précautionneusement les patates à l'eau pendant 10 à 15 minutes. Découper les kumquats en deux dans le sens de la longueur. À l'aide d'un pinceau (ou de papier absorbant), badigeonner légèrement d'huile les rondelles d'aubergine. Préchauffer le four en position gril et faire dorer les kumquats, les rondelles d'aubergine et de patates (cette cuisson peut aussi avoir lieu au barbecue). Faire griller le thon de la même façon. Assaisonner. Servir aussitôt et décorer de zeste de citron.

> 250 kcal / 5 g de lipides

soufflé au thon

POUR **4** PERSONNES • **10** MINUTES DE PRÉPARATION • **25** MINUTES DE CUISSON

400 g de thon blanc au naturel (égoutté)
4 c. à soupe de ciboulette hachée
4 c. à soupe d'aneth haché
4 c. à soupe rases de beurre
4 c. à soupe de farine
25 cl de lait écrémé
4 blancs d'œufs
huile
sel, poivre

Préchauffer le four à 210 °C (th. 7). Huiler quatre moules individuels. Mélanger le thon émietté et les herbes. Saler, poivrer. Réaliser une sauce blanche : faire fondre le beurre dans une casserole, retirer du feu, ajouter la farine, mélanger, puis ajouter le lait progressivement. Remettre sur le feu pour faire épaissir. Rectifier l'assaisonnement. Verser la sauce sur le mélange précédent. Monter les blancs en neige et les mélanger délicatement à la préparation. Répartir dans les moules. Faire cuire environ 15 à 20 minutes. Servir immédiatement.

> 230 kcal / 6 g de lipides

filets de merlan au porto blanc

POUR 4 PERSONNES • 10 MINUTES DE PRÉPARATION • 25 MINUTES DE CUISSON

4 beaux filets de merlan (ou autre poisson blanc)
1 petit oignon blanc émincé
6 cl de porto blanc
1 petit piment vert émincé
1 citron
1 c. à soupe de fécule de maïs
quelques brins de persil plat
sel, poivre

Préchauffer le four à 210 °C (th. 7). Déposer les filets dans un plat à four peu profond. Verser 12 cl d'eau, le porto et le jus de citron. Parsemer d'oignon. Saler, poivrer. Enfourner environ 15 minutes. Réserver les filets. Prélever le jus de cuisson et le mettre dans une casserole. Ajouter le piment. Épaissir avec la fécule. Rectifier l'assaisonnement. Dresser, verser la sauce. Décorer de persil et de zeste de citron. Servir immédiatement.

> 350 kcal / 5 g de lipides

filets de sole aux saveurs d'été

POUR **4** PERSONNES • **20** MINUTES DE PRÉPARATION • **10** MINUTES DE CUISSON

4 petits filets de sole sans peau
2 verres de vin blanc doux
1 melon détaillé en petites billes
1/4 de pastèque détaillée en petites billes
20 cl de crème fraîche liquide allégée
4 c. à soupe d'aneth hachée + quelques brins pour la décoration
1 jus de citron vert
sel, poivre

Étaler les filets de sole. Saupoudrer chacun d'une cuillerée à soupe d'aneth haché. Saler, poivrer. Rouler serré et maintenir l'ensemble avec des pique-olives. Les faire cuire pendant 8 à 10 minutes en les pochant à chaud dans le vin blanc.
Faire sauter les billes de melon et de pastèque dans une autre poêle.
Ajouter la crème et le jus de citron. Saler, poivrer. Vérifier la cuisson du poisson et l'égoutter délicatement. Dresser et décorer d'aneth. Servir chaud.

> 230 kcal / 5 g de lipides

paupiettes de limande et truite au poivron

POUR **4** PERSONNES • **20** MINUTES DE PRÉPARATION • **10** MINUTES DE CUISSON • DIFFICILE

4 petits filets de limande sans peau
4 tranches de truite fumée
1 sachet de court-bouillon pour poisson
2 poivrons rouges
4 tomates pelées et épépinées
1 filet d'huile d'olive parfumée
3 c. à soupe de basilic frais haché
quelques fines tranches de citron vert
sel, poivre

Mettre le four à préchauffer en position gril. Découper les poivrons en deux. Les épépiner. Les placer, côté bombé vers le haut, dans un plat allant au four ou sur la lèchefrite. Les faire griller jusqu'à ce que la peau noircisse et boursoufle. Les enfermer pendant 5 minutes dans du papier aluminium. Les peler : la peau doit se détacher très facilement. Découper chaque demi-poivron en deux morceaux. Étaler les filets de limande. Placer dessus les filets de truite et les poivrons. Saler, poivrer. Rouler serré pour former de petits « rôtis ». Ficeler l'ensemble. Découper les extrémités. Immerger complètement dans le court-bouillon pendant 8 à 10 minutes. Pendant ce temps, réaliser un concassé de tomates. Ajouter le basilic et l'huile. Rectifier l'assaisonnement. Vérifier la cuisson du poisson. Dresser et décorer du citron en vrille. Servir chaud le poisson et froid le concassé.

> 250 kcal / 10,5 g de lipides

cocotte de colin au safran

POUR **4** PERSONNES • **25** MINUTES DE PRÉPARATION • **60** MINUTES DE CUISSON • FACILE

4 grosses tomates (ou 1 grosse boîte de tomates pelées en conserve)
1 poivron jaune coupé en petits morceaux
15 cl de vin blanc sec
8 tomates séchées
200 g de crevettes décortiquées
400 g de colin en tranches
1 gros oignon pelé finement haché
2 gousses d'ail sans le germe
2 c. à soupe d'huile d'olive
1 pincée de paprika moulu
2 pistils de safran
quelques olives vertes
sel, poivre

Mettre le four à préchauffer à 210 °C (th. 7). Peler les tomates à l'eau bouillante. Les découper en quartiers. Faire revenir les tomates dans l'huile d'olive avec le poivron, l'oignon, l'ail, dans une cocotte allant au four. Poursuivre la cuisson à feu doux. Ajouter les tomates séchées, le safran, le paprika, les olives et le vin blanc. Saler et poivrer. Mettre le poisson et les crevettes dans la cocotte et napper l'ensemble de la sauce. Couvrir et enfourner pendant 25 minutes (ajouter un peu d'eau en cours de cuisson si nécessaire). Goûter pour rectifier l'assaisonnement.

> 310 kcal / 10 g de lipides

bricks de saumon

POUR **4** PERSONNES • **30** MINUTES DE PRÉPARATION • **20** MINUTES DE CUISSON

4 dos de saumon sans peau
2 gousses d'ail sans le germe
2 c. à café de beurre salé
200 g de champignons de Paris émincés
200 g de champignons noirs découpés en lanières
8 feuilles de brick (ou de pâte filo)
1 c. à soupe de ciboulette ciselée
1/2 botte de persil plat
sel, poivre

Mettre le four à préchauffer à 210 °C (th. 7). Faire sauter les champignons dans une poêle chaude (à sec) pour les faire suer. Ajouter l'ail. Saler, poivrer. Poursuivre la cuisson. Ajouter la ciboulette et du persil ciselé. Préparer les feuilles de brick en les plaçant (par deux en les superposant) dans des moules individuels (suffisamment grands pour contenir le poisson). Garnir des champignons. Ajouter le beurre. Placer le poisson et ajouter un brin de persil. Fermer joliment en veillant bien à recouvrir la garniture. Placer au four chaud pendant 15 à 20 minutes (selon la cuisson désirée) en baissant la température à 180 °C (th. 6).

> 240 kcal / 14 g de lipides

risotto de morue

POUR 4 PERSONNES • **12** H DE RÉFRIGÉRATION • **25** MINUTES DE PRÉPARATION • **35** MINUTES DE CUISSON

900 g de morue salée
50 cl de bouillon de légumes (frais ou réhydraté)
3 poireaux
500 g de riz rond (pour risotto, style arborio)
20 cl de vin blanc
2 c. à soupe d'huile d'olive
2 pincées de paprika
quelques brins d'aneth
quelques brins de ciboulette
sel, poivre

Placer la morue dans un saladier rempli d'eau. Filmer et placer au moins 12 heures au réfrigérateur. Si possible, changer une ou deux fois l'eau. Préparer un court-bouillon pour cuire la morue. L'égoutter et l'émietter. Préparer le bouillon de légumes selon le mode d'emploi conseillé sur l'emballage. Le faire chauffer dans une poêle. Émincer les poireaux. Les faire cuire dans le bouillon. Les égoutter. Faire chauffer le riz dans une sauteuse, sans cesser de remuer, avec deux cuillerées à soupe d'huile, jusqu'à ce qu'il devienne translucide. Verser dessus le vin blanc. Remuer jusqu'à absorption. Ajouter le paprika au bouillon et le verser sur le riz. Remuer, puis couvrir et laisser gonfler sur feu très doux (sans remuer). Vérifier que l'ensemble n'attache pas, sinon ajouter un petit peu d'eau. Rectifier l'assaisonnement. Faire chauffer la morue et les poireaux au four à micro-ondes. Incorporer délicatement l'aneth et la ciboulette au riz. Servir chaud.

> 500 kcal / 10 g de lipides

maquereau aux patates douces

POUR 4 PERSONNES • 10 MINUTES DE PRÉPARATION • 15-20 MINUTES DE CUISSON

4 filets de maquereaux avec la peau
4 patates douces
4 c. à café d'huile d'olive
safran
4 pincées de gros sel de Guérande, poivre

Préchauffer le four à 210 °C (th. 7). Placer les filets, côté peau, dans un plat à gratin. Ajouter l'huile. Les saupoudrer de safran et de sel. Enfourner 15 à 20 minutes. Découper les patates douces, après les avoir épluchées, en fines lamelles. Les faire cuire dans une casserole d'eau bouillante. Disposer les filets et les patates sur une assiette, ajouter un peu de safran sur les patates. Napper du jus de cuisson du poisson.

> 370 kcal / 15 g de lipides

fettuccini aux crevettes

POUR 4 PERSONNES • 10 MINUTES DE PRÉPARATION • 20 MINUTES DE CUISSON

250 g de fettuccini
4 tomates pelées, épépinées et concassées
600 g de crevettes décortiquées
1 citron vert non traité
paillettes d'algues séchées
1 filet d'huile d'olive parfumée
sel, poivre

Faire cuire les pâtes « al dente ». Les égoutter et les réserver au chaud.
Faire sauter les crevettes dans une poêle. Ajouter le jus et le zeste du citron.
Saler, poivrer. Dresser les pâtes, disposer les tomates, ajouter les crevettes, parsemer de paillettes d'algues et arroser d'un filet d'huile. Servir chaud.

> 450 kcal / 4 g de lipides

brochettes de crevettes
à la citronnelle

POUR **4** PERSONNES • **10** MINUTES DE PRÉPARATION • **3** HEURES DE MARINADE • **10** MINUTES DE CUISSON • FACILE

24 grosses crevettes crues ou gambas (fraîches ou surgelées)
2 c. à soupe d'huile de sésame
2 c. à café de citronnelle moulue
2 branches de citronnelle fraîche
1 petit piment doux épépiné et émincé
le jus d'un citron
sel, poivre

Décortiquer les crevettes en conservant les queues. Mélanger dans un grand saladier avec , deux cuillerées à soupe d'eau, le jus de citron, la citronnelle, le piment et l'huile de sésame. Ajouter les crevettes. Saler, poivrer et mélanger l'ensemble. Réserver au frais pendant au moins 3 heures. Réaliser les brochettes sur de grands pique-olives. Faire revenir dans une poêle chaude pendant 10 minutes maximum (la durée est fonction de la taille des crevettes, veiller à ne pas les dessécher !). Dresser et décorer de quelques fins tronçons de citronnelle fraîche. Servir immédiatement.

> 280 kcal / 13 g de lipides

encornets au paprika

500 g d'encornets frais ou surgelés
1 boîte de concentré de tomates
2 échalotes
2 c. à soupe de paprika
1/2 c. à café de curcuma
le jus d'un citron
1 c. à soupe d'huile d'olive
1 poivron rouge (facultatif)
sel, poivre

Faire chauffer l'huile dans une sauteuse. Ajouter les échalotes émincées et les faire dorer, puis ajouter les encornets. Laisser saisir. Placer tous les autres ingrédients et ajouter un grand verre d'eau. Saler, poivrer et mélanger l'ensemble. Faire cuire pendant 30 minutes à feu doux. Dresser et décorer de quelques fines lanières de poivron rouge. Servir immédiatement.

> 150 kcal /5 g de lipides

pétoncles à la crème de poivron

POUR **4** PERSONNES • **10** MINUTES DE PRÉPARATION • **30** MINUTES DE CUISSON

500 g de noix de pétoncles
1 c. à café d'aneth ciselé
4 jaunes d'œufs
10 cl de vin blanc doux
2 à 3 poivrons rouges
2 c. à soupe de sucre
quelques branches d'aneth frais
sel, poivre

Découper et épépiner les poivrons. Les mixer pour obtenir 10 cl de jus. Faire cuire et dorer les noix de pétoncles dans une sauteuse chaude. Saler, poivrer et garder au chaud. Réaliser un sabayon (recette page 406) avec les œufs, le jus de poivron et le vin. Ajouter le sucre et rectifier l'assaisonnement. Ciseler l'aneth dans la sauce (garder quelques beaux morceaux pour la décoration). Servir aussitôt et décorer de branches d'aneth frais.

> 90 kcal / 5 g de lipides

viandes et volailles

lasagnes au bœuf et aux poivrons

POUR **4** PERSONNES • **10** MINUTES DE PRÉPARATION • **25** MINUTES DE CUISSON

8 plaques de lasagnes crues
1 gros oignon émincé
1 poivron rouge
1 poivron vert
1 poivron jaune
2 gousses d'ail écrasées sans le germe
1 boîte de pulpe de tomates nature
2 grosses tomates
4 steaks hachés à 5 % de matière grasse
3 c. à soupe d'origan ciselé
1 c. à soupe d'huile d'olive
quelques feuilles entières d'origan frais (facultatif)
sel, poivre

Préchauffer le four à 210 °C (th. 7). Faire bouillir de l'eau salée dans une casserole. Faire cuire les plaques de lasagnes selon les indications du fabricant. Laver, épépiner et découper les poivrons en petits cubes. Dans une casserole chaude, faire revenir l'oignon avec l'huile, puis les poivrons et les steaks. Ajouter, en remuant, l'ail et la pulpe de tomates. Laisser mijoter quelques minutes. Rectifier l'assaisonnement. Découper les tomates en rondelles. Égoutter les lasagnes. Dans un plat rectangulaire à gratin (assez étroit), déposer une couche de sauce, une couche de rondelles de tomates, une couche de lasagnes, puis de nouveau une couche de sauce et poursuivre jusqu'à épuisement des ingrédients. Terminer par une couche de sauce. Enfourner pour 20 minutes. Servir dans le plat de cuisson, doré et décoré de feuilles d'origan frais.

> 430 kcal / 9 g de lipides

boulettes de bœuf au thym

POUR **4** PERSONNES • **30** MINUTES DE PRÉPARATION • **15** MINUTES DE CUISSON

500 g de steak haché à 5 % de matière grasse
2 biscottes
1 c. à café de sauge fraîche ciselée
1 c. à café d'estragon frais ciselé
2 blancs d'œufs
1 c. à soupe de sauce soja
quelques gouttes de Tabasco
1 grosse boîte de tomates pelées concassées
1 oignon rouge finement émincé
1 c. à café de paprika
quelques branches de thym frais
sel, poivre

Mélanger la viande aux herbes dans un saladier. Ajouter les œufs, la sauce soja et le Tabasco. Écraser les biscottes. Les ajouter au mélange. Assaisonner. Former des boulettes de forme choisie et régulière (en forme de boudins par exemple). Faire dorer l'oignon dans un fait-tout. Ajouter les tomates pelées écrasées (avec leur jus), puis 20 cl d'eau et le paprika. Effeuiller le thym dans la sauce (garder quelques beaux morceaux pour la décoration). Porter à ébullition et faire réduire à découvert jusqu'à épaississement. Faire rissoler les boulettes dans une poêle antiadhésive chaude. Servir avec la sauce, du riz et décorer de brins de thym.

> 290 kcal / 5 g de lipides

bœuf au chou

POUR **4** PERSONNES • **20** MINUTES DE PRÉPARATION • **15** MINUTES DE CUISSON

500 g de filet de bœuf détaillé en fines tranches
800 g de chou vert taillé finement
1 c. à café de sucre en poudre
2 oignons émincés
4 c. à soupe d'huile d'arachide
1 c. à café de graines de fenouil
1 c. à café de graines de moutarde
2 gousses d'ail écrasées sans le germe
sel, poivre

Saisir et faire cuire le bœuf dans une poêle antiadhésive chaude avec les oignons émincés et l'huile. Laver le chou et l'émincer très finement. Ajouter dans la poêle le sucre, l'ail, les graines de fenouil et de moutarde. Remuer. Ajouter le chou. Couvrir et laisser cuire à feu doux en remuant de temps en temps. Rectifier l'assaisonnement. Servir chaud.

> 290 kcal / 14 g de lipides

veau aux tomates confites

POUR **4** PERSONNES • **15** MINUTES DE PRÉPARATION • **60** MINUTES DE CUISSON

4 escalopes de veau
1 petit bocal de tomates séchées
1 c. à café de paprika (ou de piment en poudre pour un plat plus relevé)
12 tomates cocktail
4 c. à soupe de basilic frais ciselé
4 c. à soupe d'huile d'olive parfumée
quelques feuilles entières de basilic frais (facultatif)
sel et fleur de sel, poivre

Faire préchauffer le four à 180 °C (th. 6). Laver les tomates et les couper en deux. Les disposer dans un plat antiadhésif allant au four et les saupoudrer de fleur de sel. Enfourner 30 minutes en surveillant le « confisage ». Si nécessaire, baisser la température du four. Pendant ce temps, faire tremper 5 minutes les tomates séchées dans de l'eau chaude. Égoutter et hacher grossièrement. Mélanger au basilic et au paprika. Réserver. Faire cuire et dorer chaque face des escalopes dans une poêle chaude. Saler, poivrer. Recouvrir du mélange de tomates séchées et d'un filet d'huile d'olive parfumée. Servir avec les tomates confites et décorer de feuilles de basilic frais.

> 350 kcal / 13 g de lipides

risotto de veau à l'orange

POUR **4** PERSONNES • **10** MINUTES DE PRÉPARATION • **40** MINUTES DE CUISSON

2 bouillons cubes allégés de volaille
20 cl de vin blanc doux (style coteaux-du-layon)
13 cl de jus d'orange
1 oignon émincé
1 gousse d'ail écrasée sans le germe
250 g de riz rond à risotto (style arborio)
4 escalopes de veau
1 c. à soupe d'huile
le zeste d'une orange non traitée
quelques feuilles de persil plat (facultatif)
sel, poivre

Préparer un bouillon avec 2 l d'eau (filtrée ou de source), le vin, le jus d'orange et les bouillons cubes dans une marmite. Préparer le riz façon pilaf : faire blondir l'ail et l'oignon avec l'huile dans un fait-tout, puis ajouter le riz. Remuer jusqu'à ce qu'il devienne translucide. Verser 13 cl de bouillon. Laisser cuire, à couvert et à feu doux, jusqu'à absorption totale du liquide. Renouveler l'opération jusqu'à cuisson totale du riz. Rectifier l'assaisonnement. Dans le même temps, faire griller les escalopes de veau. Saler, poivrer. Détailler la viande en fines lanières. Incorporer la viande au riz avec le zeste d'orange. Décorer de feuilles de persil plat. Servir chaud.

> 490 kcal / 3 g de lipides

brochettes de veau au pesto

POUR **4** PERSONNES • **10** MINUTES DE PRÉPARATION • **3** HEURES DE RÉFRIGÉRATION • **15** MINUTES DE CUISSON • FACILE

500 g de quasi de veau (ou de noix)
1/2 botte de basilic frais
2 c. à soupe d'huile d'olive
1 jus de citron
quelques feuilles de sauge fraîche
quelques pignons de pin
sel, poivre

Mixer le basilic. Le mélanger dans un grand saladier avec l'huile, huit cuillerées à soupe d'eau et le jus de citron. Ajouter la viande découpée en gros cubes. Saler, poivrer et mélanger l'ensemble. Réserver au frais pendant au moins 3 heures. Préchauffer le four à 210 °C (th. 7). Confectionner les brochettes de viande. Les disposer dans un plat allant au four ou sur la lèchefrite. Recouvrir de la marinade. Enfourner pendant 15 minutes. Passer au gril pour dorer. Vérifier la cuisson. Dresser et décorer de quelques feuilles de sauge fraîche et de pignons de pin. Servir chaud.

> 195 kcal / 5 g de lipides

boulettes de veau à la feta

POUR **4** PERSONNES • **5** MINUTES DE PRÉPARATION • **10** MINUTES DE CUISSON

400 g d'agneau haché (dans l'épaule ou le gigot)
1 petit oignon finement haché
quelques feuilles de sauge fraîche
1/2 courgette râpée
60 g de feta
1 tranche de pain rassis
1 blanc d'œuf
2 gousses d'ail sans le germe
sel, poivre

Hacher finement la sauge et l'ail. Émietter le pain et la feta. Mélanger tous les ingrédients dans un saladier. Rectifier l'assaisonnement. Préchauffer une poêle antiadhésive. Façonner huit boulettes aplaties. Les faire cuire et dorer sur chaque face. Servir avec un coulis de tomates concassées ou une ratatouille.

> 180 kcal / 6 g de lipides

épaule d'agneau aux abricots

POUR 4 PERSONNES • 10 MINUTES DE PRÉPARATION • 40 MINUTES DE CUISSON

500 g d'épaule d'agneau dégraissée
1 c. à soupe d'huile
1 oignon émincé
5 c. à soupe de jus d'abricot
24 abricots bien mûrs
2 pincées de cannelle en poudre
1/2 c. à soupe de sucre
sel, poivre

Préchauffer le four à 210 °C (th. 7). Faire revenir l'oignon avec l'huile dans une poêle chaude. Ajouter les abricots dénoyautés. Faire sauter 3-4 minutes. Ajouter le sucre, le jus d'abricot et la cannelle. Rectifier l'assaisonnement. Découper quatre morceaux dans l'épaule. Assaisonner les morceaux et les placer dans une papillote de papier sulfurisé. Répartir un quart de la préparation dans chaque papillote. Fermer hermétiquement et placer dans un plat allant au four. Enfourner 40 minutes. Servir les papillotes fermées pour profiter pleinement des arômes au moment de déguster.

> 345 kcal / 16 g de lipides

côtes d'agneau aux poivres

POUR **4** PERSONNES • **20** MINUTES DE PRÉPARATION • **40** MINUTES DE CUISSON

8 côtes d'agneau maigres
2 gros oignons nouveaux pelés
800 g de fèves fraîches
2 brins de romarin ciselés + 4 brins pour la décoration
4 c. à café de vinaigre balsamique
4 gousses d'ail entières
4 c. à café de moutarde à l'ancienne
2 c. à soupe d'huile d'olive
4 pincées de mélange cinq-baies en poudre
sel, poivre

Préchauffer le four à 180 °C (th. 6). Retirer l'ensemble du gras visible sur les côtes. Mélanger dans un bol le vinaigre, la moutarde, le romarin et la poudre de cinq-baies. Faire dorer la viande à sec sur chaque face dans une poêle chaude . Découper quatre grandes feuilles de papier sulfurisé. Disposer une côte par feuille. Badigeonner la viande avec le mélange préparé. Ajouter dans chaque papillote un demi-oignon, une gousse d'ail et une demi-cuillerée à soupe d'huile (facultatif). Saler et poivrer. Placer par-dessus un brin de romarin entier. Fermer les papillotes hermétiquement. Placer les papillotes au four chaud pendant 30 à 40 minutes. Pendant ce temps, éplucher les fèves, les rincer et les faire cuire à l'eau chaude salée. Éliminer la peau extérieure des fèves après les avoir refroidies sous une filet d'eau froide. Saler, poivrer et parsemer de romarin. Servir les papillotes accompagnées des fèves, arrosées avec la sauce de la viande.

> 635 kcal / 25 g de lipides

carré d'agneau façon crumble

POUR **4** PERSONNES • **15** MINUTES DE PRÉPARATION • **1** HEURE **30** DE CUISSON

700 g de carré d'agneau
4 gousses d'ail écrasées sans le germe
le jus et le zeste de 2 citrons
4 c. à soupe d'estragon ciselé
4 c. à soupe de feuilles de céleri ciselées
13 cl de vin blanc sec
50 g de chapelure
quelques feuilles d'estragon frais
sel, poivre

Préchauffer le four à 210 °C (th. 7). Dégraisser le carré d'agneau.
Dans un saladier, mélanger l'ail, le jus et les zestes des citron, l'estragon, les feuilles
de céleri et la chapelure. La préparation doit être assez compacte et humide pour
recouvrir le carré ; ajouter un peu d'eau si nécessaire . Assaisonner et placer l'agneau
dans un plat allant au four. Le recouvrir de la préparation. Verser le vin
dans le plat. Enfourner 1 heure 30. Servir aussitôt et décorer de quelques feuilles
d'estragon frais.

> 530 kcal / 15 g de lipides

porc à la sauge

POUR **4** PERSONNES • **15** MINUTES DE PRÉPARATION • **30** MINUTES DE CUISSON

500 g de filet de porc dégraissé
2 c. à soupe de moutarde à l'ancienne
1 c. à café de moutarde de Dijon
4 c. à soupe de sauge ciselée
2 c. à soupe de fromage blanc à 0 % de matière grasse
12 cl de vin blanc
10 g de beurre
1 échalote émincée
quelques feuilles de sauge fraîche entières
sel, poivre

Préchauffer le four à 240 °C (th. 8). Tailler quatre tranches dans le filet de porc.
Les disposer dans un plat allant au four. Saler et poivrer. Mélanger dans un bol
la moutarde, la sauge ciselée et le fromage blanc. Napper la viande de cette
préparation. Disposer autour de la viande l'échalote et le beurre découpé en morceaux.
Ajouter le vin blanc et un fond de verre d'eau. Enfourner 30 minutes.
Faire dorer sous le gril quelques minutes si nécessaire en fin de cuisson. Prélever
le jus de cuisson, le filtrer et le mélanger avec la moutarde de Dijon. Servir
avec la sauce et décoré de feuilles de sauge.

> 195 kcal / 6 g de lipides

filet mignon de porc acidulé

POUR **4** PERSONNES • **10** MINUTES DE PRÉPARATION • **35** MINUTES DE CUISSON

500 g de filet mignon de porc dégraissé
4 c. à soupe de marmelade d'orange allégée
le jus de 3 grosses oranges
1 orange sanguine
2 c. à soupe de vinaigre de vin blanc
1 pincée de piment de Cayenne
2 c. à soupe bombées de fécule de maïs
sel, poivre

Préchauffer le four à 210 °C (th. 7). Faire chauffer la marmelade avec le jus des oranges dans une casserole, ajouter le zeste de l'orange sanguine, le vinaigre et le piment de Cayenne. Rectifier l'assaisonnement. Découper quatre morceaux dans le filet. Assaisonner les morceaux et les placer dans un plat allant au four. Napper de la sauce. Faire cuire 25 minutes. Mettre les morceaux de filet sur une grille et poursuivre la cuisson au barbecue (ou dans le four au grilloir) durant 10 minutes environ. Pendant ce temps, prélever la sauce du plat et la mettre dans une casserole. Délayer la fécule avec le jus de l'orange sanguine. L'ajouter dans la casserole et faire chauffer, sans cesser de remuer, pour épaissir. Servir la viande nappée de la sauce.

> 285 kcal / 6 g de lipides

porc au miel et aux épices

Pour 4 personnes • 15 minutes de préparation • 30 minutes de marinade • 10 minutes de cuisson

500 g de filet mignon de porc dégraissé
1 boîte de céleri branche
2 c. à café de mélange cinq-épices en poudre
2 c. à soupe de miel liquide
1 c. à soupe de sauce soja
1 c. à soupe d'huile
1 c. à café de vinaigre balsamique
1 oignon finement découpé
quelques graines de badiane
sel, poivre

Découper le filet en tranches fines. Faire mariner la viande 30 minutes avec trois cuillerées à soupe d'eau, la sauce soja, la poudre cinq-épices et le miel. Faire dorer l'oignon avec un peu d'huile dans une poêle chaude. Réserver. Dans la même poêle, ajouter les tranches de porc égouttées. Faire cuire et dorer sur chaque face. Assaisonner. Déglacer au vinaigre balsamique. Prolonger la cuisson quelques instants. Ajouter l'oignon et le céleri. Réchauffer l'ensemble. Servir la viande sur un lit de céleri et décorer de graines de badiane.

> 185 kcal / 5 g de lipides

brochettes de porc aux pommes

POUR 4 PERSONNES • 10 MINUTES DE PRÉPARATION • 20 MINUTES DE MARINADE • 15 MINUTES DE CUISSON

500 g de filet mignon de porc dégraissé
1 pomme golden
1 pomme granny-smith
1 jus de citron
2 c. à café de graines de moutarde
4 c. à soupe de jus de pomme
2 c. à soupe d'huile
sel, poivre

Pour la sauce
8 c. à soupe de crème fraîche liquide allégée
2 c. à soupe de moutarde à l'ancienne
sel, poivre du moulin

Préchauffer le four à 210 °C (th. 7). Mélanger les ingrédients de la sauce dans un ramequin et réserver. Découper le filet en morceaux. Mélanger le jus de pomme, l'huile et les graines de moutarde. Faire mariner le porc avec ce mélange pendant 20 minutes. Assaisonner les morceaux de porc et les placer dans un plat allant au four. Enfourner 15 minutes. Pendant ce temps, découper les pommes en tranches. et éliminer les pépins. Arroser les tranches de pommes de jus de citron. Confectionner les brochettes avec les morceaux de filets cuits et les pommes. Faire dorer la viande sous le gril du four. Servir avec des pommes au four.

> 280 kcal / 11g de lipides

croquettes de porc à la purée de navets

POUR **4** PERSONNES • **30** MINUTES DE PRÉPARATION • **40** MINUTES DE CUISSON

500 g de filet mignon de porc dégraissé
2 gousses d'ail écrasées sans le germe
2 petits oignons doux émincés
4 c. à soupe de sauge ciselée
1 blanc d'œuf battu
8 navets moyens
1 c. à soupe de crème fraîche allégée
sel, poivre

Éplucher les navets et les faire cuire à l'eau chaude légèrement salée jusqu'à ce qu'ils soient tendres. Les écraser à la fourchette et assaisonner. Ajouter la crème fraîche allégée. Garder au chaud. Hacher grossièrement la viande. Dans un saladier, mélanger le porc haché, l'ail, l'œuf, un oignon et la sauge. Assaisonner. Confectionner des boulettes de forme régulière légèrement aplaties par exemple. Les faire dorer avec l'autre oignon dans une sauteuse bien chaude. Servir aussitôt avec la purée de navets.

> 270 kcal / 7 g de lipides

porc sauce douce

POUR **4** PERSONNES • **10** MINUTES DE PRÉPARATION • **20** MINUTES DE CUISSON

500 g de filet mignon de porc dégraissé
1 oignon émincé
3 c. à soupe de curry en poudre
3 c. à soupe de crème fraîche liquide maigre
2 c. à soupe de lait de coco en poudre
quelques pincées de noix de coco râpée
sel, poivre

Découper le filet en tranches assez fines. Faire dorer la noix de coco râpée dans une poêle chaude. Réserver. Dans la même poêle, faire sauter l'oignon à sec. Ajouter les tranches de porc. Faire cuire et dorer chaque face. Assaisonner. Saupoudrer de curry. Poursuivre la cuisson quelques instants. Ajouter la crème, le lait de coco et quatre cuillerées à soupe d'eau. Servir décoré de la noix de coco râpée.

> 250 kcal / 9 g de lipides

rouelle de porc aux olives et aux câpres

POUR **4** PERSONNES • **15** MINUTES DE PRÉPARATION • **60** MINUTES DE CUISSON

500 g de rouelle de porc dégraissée
1 c. à soupe d'huile
1 oignon finement haché
1 gousse d'ail écrasée (sans le germe)
1 grande boîte de tomates pelées (ou des tomates fraîches pelées)
1 c. à soupe de concentré de tomates
1 bouillon cube dégraissé de volaille
12 olives vertes
1 c. à soupe de câpres égouttées
2 c. à soupe d'origan frais ciselé
sel, poivre

Découper la rouelle en quatre morceaux réguliers. Faire revenir l'oignon dans une poêle chaude légèrement huilée. Faire dorer la viande. Ajouter les tomates, l'ail, le concentré, 20 cl d'eau, le bouillon cube. Saler, poivrer. Laisser mijoter à couvert pendant une bonne heure. Ajouter les olives et les câpres. Rectifier l'assaisonnement. Décorer avec l'origan. Servir avec du boulgour.

> 250 kcal / 15 g de lipides

papillotes de porc à l'aigre-douce

POUR 4 PERSONNES • 10 MINUTES DE PRÉPARATION • 20 MINUTES DE CUISSON

500 g de filet mignon de porc dégraissé
quelques pousses de jeunes oignons frais
4 c. à soupe de gingembre frais taillé en julienne
1 c. à café de citronnelle moulue
2 gousses d'ail écrasées sans le germe
4 c. à soupe de vinaigre balsamique
2 c. à soupe de miel liquide
1 jus de citron
quelques feuilles de citronnelle fraîche
sel, poivre

Mettre le four à préchauffer à 210 °C (th. 7). Découper la viande en quatre morceaux. Mélanger les autres ingrédients (sauf la citronnelle) dans un bol avec huit cuillerées à soupe d'eau. Placer chaque morceau de viande dans une feuille de papier sulfurisé. Recouvrir du mélange et fermer hermétiquement les papillotes. Enfourner pendant 20 minutes. Dresser et décorer de quelques feuilles de citronnelle. Servir chaud.

> 320 kcal / 8 g de lipides

filet mignon en croûte de pavot

POUR **4** PERSONNES • **10** MINUTES DE PRÉPARATION • **20** MINUTES DE CUISSON

500 g de filet mignon de porc
8 c. à soupe de graines de pavot
2 c. à café de moutarde
2 c. à soupe de jus de citron
2 gousses d'ail écrasées sans le germe
sel, poivre

Préchauffer le four à 210 °C (th. 7). Mélanger tous les aromates dans un petit bol. Badigeonner la viande du mélange. Rouler le filet dans les graines de pavot. Enfourner pendant 20 minutes. Passer au gril si nécessaire.

> 180 kcal / 7 g de lipides

magrets de canard épicés

POUR 4 PERSONNES • 10 MINUTES DE PRÉPARATION • 1 HEURE DE MARINADE • 40 MINUTES DE CUISSON

2 beaux magrets de canard dégraissés sans leur peau
3 c. à soupe de sauce soja
1 c. à soupe de vinaigre balsamique
1 c. à soupe de miel liquide
1 c. à café de graines de carvi
1 c. à café de graines de moutarde
1 c. à café de graines de pavot
1 c. à café de graines de fenouil
600 g de petits navets ronds
10 g de beurre
1 c. à soupe d'huile
sel, poivre mignonette

Mélanger dans un plat la sauce soja et le vinaigre. Déposer les magrets. Saler,
poivre. Faire mariner, au frais, pendant 1 heure, en retournant les magrets
quelquefois. Pendant ce temps, peler les navets et les couper en deux.
Les faire cuire dans un grand volume d'eau salée et les égoutter aussitôt.
Faire chauffer le gril du four. Mélanger les graines de carvi, de moutarde
et de pavot avec le miel, le jus de la marinade et l'huile. Enduire une face des magrets
avec cette préparation (en formant une sorte de croûte). Enfourner les magrets côté
« croûte » vers le haut. Faire rôtir au gril pendant 10 à 15 minutes. Retourner
à mi-cuisson (la durée est fonction de la taille des magrets et du degré de cuisson
souhaité). Faire sauter les navets égouttés dans une poêle chaude avec le beurre
et les graines de fenouil pendant 5 minutes environ. Rectifier l'assaisonnement.
Dresser et servir immédiatement.

> 380 kcal / 10 g de lipides

foies de volailles au bacon

POUR 4 PERSONNES • 15 MINUTES DE PRÉPARATION • 15 MINUTES DE CUISSON

2 barquettes de foies de volailles
8 tranches de bacon
10 g de beurre
1 c. à soupe d'huile de tournesol
1 c. à soupe de vinaigre balsamique
1 échalote émincée
1 c. à soupe de persil frisé ciselé
1 petite poignée de chanterelles
fleur de sel, poivre du moulin

Nettoyer les champignons et les sécher. Faire cuire le blé selon le mode d'emploi préconisé par le fabricant. Réserver au chaud. Découper les foies en gros cubes. Détailler le bacon en petites bandes. Faire chauffer le beurre et l'huile dans une poêle. Y faire sauter, cuire et dorer les foies avec l'échalote pendant 10 minutes en remuant fréquemment. Assaisonner. Ajouter le bacon et le persil. Poursuivre la cuisson quelques instants, sur feu vif. Déglacer avec le vinaigre. Réserver au chaud. Dans la même poêle, chaude (juste essuyée), faire revenir quelques instants les chanterelles et garder au chaud. Servir avec du blé.

> 330 kcal /10 g de lipides

poulet à la mexicaine

POUR **4** PERSONNES • **5** MINUTES DE PRÉPARATION • **35** MINUTES DE CUISSON

4 blancs de poulet dégraissés
1 oignon émincé
1 c. à soupe d'huile
1/2 c. à café de piment en poudre
1 grande boîte de tomates pelées en conserve (ou 8 tomates fraîches pelées)
1 petite boîte de haricots rouges au naturel en conserve (125 g égouttés)
sel, poivre

Faire revenir l'oignon dans une poêle légèrement huilée et chaude. Ajouter les blancs de poulet. Les faire dorer puis cuire à feu moyen. Ajouter les tomates (en les écrasant grossièrement) et le piment. Saler, poivrer. Laisser mijoter à couvert pendant 20 minutes. Ajouter les haricots rouges. Rectifier l'assaisonnement. Faire chauffer l'ensemble. Servir immédiatement.

> 250 kcal / 8g de lipides

pintade au poivre vert et aux salsifis

POUR 4 PERSONNES • 5 MINUTES DE PRÉPARATION • 60 MINUTES DE CUISSON

1 pintade fermière
1 boîte de salsifis égouttés
2 brins de romarin
une vingtaine de grains de poivre vert
2 têtes d'ail
sel, poivre

Préchauffer le four à 210 °C (th. 7). Détacher les gousses d'ail. Les disposer dans un plat allant au four autour de la pintade. Saler et poivrer la pintade. La farcir avec les branches de romarin et le poivre vert. Ajouter un fond d'eau. Enfourner 30 minutes. Ajouter les salsifis et poursuivre la cuisson à 180 °C (th. 6) pendant 10 à 15 minutes. Vérifier la cuisson de la viande. Prélever les gousses d'ail. Les écraser pour en récupérer la chair cuite. Bien mélanger pour homogénéiser l'ensemble. Prélever une ou deux cuillerées à soupe de jus de cuisson pour délayer cette sauce. Servir bien chaud avec la sauce.

> 210 kcal / 5 g de lipides

brochettes de poulet aux cacahuètes

POUR **4** PERSONNES • **10** MINUTES DE PRÉPARATION • **3** HEURES DE MARINADE • **20** MINUTES DE CUISSON

4 blancs de poulet sans peau
1/2 botte d'origan frais
8 c. à soupe de cacahuètes grillées à sec épicées
4 c. à soupe de jus de citron
1 gousse d'ail écrasée sans le germe
1 botte de persil frisé
sel, poivre

Mixer l'origan, les cacahuètes et le persil. Mélanger dans un grand saladier avec l'ail et le jus de citron. Ajouter la viande découpée en gros cubes. Saler, poivrer et mélanger l'ensemble. Réserver au frais pendant au moins 3 heures. Mettre le four à préchauffer à 210 °C (th. 7). Réaliser les brochettes. Les placer dans un plat allant au four ou sur la lèchefrite. Recouvrir de la marinade. Mettre au four chaud pendant 15 minutes. Passer au gril pour colorer. Servir chaud, tiède ou froid.

> 230 kcal / 7 g de lipides

260

poulet en croûte d'avoine

POUR 4 PERSONNES • 5 MINUTES DE PRÉPARATION • 40 MINUTES DE CUISSON

25 g de flocons d'avoine nature écrasés
1 c. à soupe de romarin frais haché
4 blancs de poulet sans leur peau
1 blanc d'œuf
quelques feuilles de romarin
sel, poivre

Préchauffer le four à 210 °C (th. 7). Battre le blanc d'œuf dans un saladier.
Mélanger les flocons au romarin dans une assiette. Passer le poulet dans l'œuf
puis dans le mélange. Assaisonner les morceaux de poulet et les placer dans un plat
creux allant au four. Faire cuire 30 à 40 minutes. Servir aussitôt et décorer
de quelques feuilles de romarin frais.

> 180 kcal / 6 g de lipides

poulet au pastis et à la citronnelle

POUR **4** PERSONNES • **15** MINUTES DE PRÉPARATION • **3** HEURES DE MARINADE • **15** MINUTES DE CUISSON

500 g de blanc de poulet
2 c. à soupe de pastis
8 c. à soupe de jus de citron
1 c. à soupe d'huile
1 c. à soupe de sucre roux
1 c. à café de citronnelle moulue
1 pincée de gingembre moulu
sel, poivre

Découper le poulet en morceaux grossiers. Mélanger dans un grand saladier
avec l'huile, le jus de citron, la citronnelle, le pastis, le sucre et le gingembre. Ajouter
le poulet. Saler, poivrer et mélanger l'ensemble. Réserver au frais pendant au moins
3 heures. Faire sauter le poulet égoutté dans une poêle (légèrement huilée)
très chaude pendant 10 minutes maximum (la durée est fonction de la taille des morceaux
de poulet). Servir immédiatement.

> 250 kcal / 10 g de lipides

poulet d'été

POUR **4** PERSONNES • **10** MINUTES DE PRÉPARATION • **25** MINUTES DE CUISSON

4 blancs de poulet sans la peau
2 gros oignons pelés
4 brins de coriandre fraîche ciselée
4 gousses d'ail sans le germe
2 c. à soupe d'huile d'olive
1 pincée de piment moulu
sel, poivre

Préchauffer à 210 °C (th. 7). Retirer l'ensemble du gras visible sur les blancs.
Les disposer dans un plat allant au four. Découper les oignons. Les disposer
avec l'ail, l'huile d'olive et le piment dans un mixer. Mixer grossièrement l'ensemble.
Tartiner les blancs du mélange. Parsemer de coriandre. Saler et poivrer.
Enfourner 25 minutes avec un fond d'eau dans le plat.

> 200 kcal/10 g de lipides

poulet aux deux pommes

POUR **4** PERSONNES • **15** MINUTES DE PRÉPARATION • **1** HEURE **30** DE CUISSON

4 blancs de poulet avec leur peau
200 g de petits oignons nouveaux pelés
85 cl de bouillon de volaille (frais ou réhydraté)
1 citron non traité
4 pommes à chair ferme
400 g de petites pommes de terre nouvelles (type grenaille)
2 c. à soupe d'huile
15 g de beurre
quelques branches de thym frais
quelques branches d'estragon frais
sel, poivre

Préchauffer le four à 180 °C (th. 6). Mettre le poulet, côté peau, à dorer dans une cocotte (avec couvercle) allant au four, avec l'huile et le beurre. Ajouter les oignons. Préparer le bouillon selon le mode d'emploi conseillé sur l'emballage puis l'ajouter dans la cocotte avec le jus du citron et ses zestes, le thym et l'estragon. Porter à ébullition. Placer la cocotte couverte au four pendant 45 minutes. Pendant ce temps, éplucher les pommes et rincer les pommes de terre. Sortir la cocotte, ajouter les pommes et les pommes de terre. Goûter la sauce et rectifier l'assaisonnement. Si nécessaire, ajouter un peu d'eau. Enfourner de nouveau pour 45 minutes. Vérifier la cuisson de l'ensemble. Dresser et décorer de branches de thym et d'estragon frais.

> 440 kcal / 18 g de lipides

bricks de poulet en papillote

POUR 4 PERSONNES • 10 MINUTES DE PRÉPARATION • 10 MINUTES DE CUISSON

4 blancs de poulet
4 courgettes
8 feuilles de brick
1 gousse d'ail écrasée
4 c. à soupe d'origan
4 c. à café de crème fraîche allégée à 15 % de matière grasse
persil
sel, poivre

Préchauffer à 210 ºC (th. 7). Découper les blancs en petits cubes. Les faire sauter et dorer dans une poêle antiadhésive. Laver et découper les courgettes en petits cubes (avec la peau). Ajouter au poulet. Poursuivre la cuisson. Ajouter un peu d'ail, l'origan et le persil. Rectifier l'assaisonnement. Égoutter l'ensemble. Placer le quart du mélange cuit au milieu de deux feuilles de brick croisées. Ajouter une cuillerée de crème. Refermer la première papillote en « chausson ». Faire de même pour les trois autres. Placer les papillotes dans un plat allant au four. Réchauffer 10 minutes.

> 250 kcal / 8 g de lipides

émincé de dinde au lait de coco et à la mangue

POUR **4** PERSONNES • **15** MINUTES DE PRÉPARATION • **10** MINUTES DE CUISSON

4 blancs de dinde
10 cl de lait de coco
2 c. à soupe de paprika
1 mangue bien mûre
1 c. à soupe de noix de coco râpée
1 piment rouge doux épépiné et émincé
quelques feuilles de persil plat
sel, poivre

Découper les blancs de dinde en morceaux et les faire dorer dans une poêle antiadhésive. Ajouter la mangue en gros cubes, le lait de coco, un verre d'eau, le piment, la noix de coco, une pincée de sel et le paprika. Laisser réduire (la mangue doit rester ferme !). Servir la viande en sauce sur un bol de riz. Décorer de feuilles de persil.

> 350 kcal / 4 g de lipides

poulet épicé aux pois chiches

POUR **4** PERSONNES • **15** MINUTES DE PRÉPARATION • **15** MINUTES DE CUISSON

4 blancs de poulet dégraissés
400 g de haricots verts
1 petite poignée de petits pois
400 g de pois chiches en boîte, rincés et égouttés
oignons frits
épices « tandoori »
sel, poivre

Faire cuire les haricots et les petits pois « al dente » dans de l'eau bouillante salée (sans couvrir). Les égoutter et réserver au chaud. Découper les blancs de poulet en lanières. Les rouler dans les épices. Saler, poivrer. Faire dorer dans une poêle chaude antiadhésive. Faire réchauffer au four micro-ondes les légumes verts et les pois chiches. Dresser les accompagnements sur assiettes, disposer les oignons frits, ajouter la viande. Servir chaud.

> 320 kcal / 8 g de lipides

poulet au raisin

POUR **4** PERSONNES • **20** MINUTES DE PRÉPARATION • **30** MINUTES DE CUISSON

4 blancs de poulet sans leur peau
400 ml d'eau
1 bouillon cube de volaille allégé
40 g de fécule de maïs
4 cuil. à soupe bombée de crème fraîche allégée
400 g de raisins noirs
sel, poivre

Préparer le bouillon dans une casserole, en diluant le bouillon cube, à chaud, dans l'eau. Faire bouillir. Mettre la fécule de maïs dans un ramequin, ajouter 3 cuillerées à soupe de bouillon prélevé dans la casserole. Remettre dans le bouillon en remuant. Faire cuire le mélange durant 5 minutes, en baissant le feu et en remuant, sans cesse, avec une cuillère en bois. Rectifier l'assaisonnement. Ajouter la crème et les raisins coupés en deux ; garder au chaud. Faire cuire et dorer la viande dans une poêle chaude. Saler, poivrer. Dresser et déguster.

> 230 kcal / 5 g de lipides

des p'tits légumes

légumes façon chop suey

POUR 4 PERSONNES • 15-20 MINUTES DE PRÉPARATION • 3-5 MINUTES DE CUISSON

1 boîte ou 1 bocal de mini-épis de maïs
50 g de haricots mange-tout
2 carottes
125 g de pousses de soja fraîches
1 navet
1 petite poignée de petits pois surgelés
1 poignée de haricots verts surgelés
quelques champignons noirs réhydratés
1 c. à soupe de sauce soja
2 c. à soupe d'huile de sésame
1 c. à soupe de graines de sésame

Peler les carottes et le navet. Les couper en petits bâtonnets assez fins. Allumer le feu sous un wok (ou une poêle antiadhésive). Quand il est chaud, ajouter l'huile puis les épis de maïs égouttés, les haricots mange-tout, les haricots verts, les carottes, le navet coupé et les petits pois. Faire sauter l'ensemble pendant 1 minute en remuant. Ajouter ensuite les pousses de soja lavées, les champignons noirs et la sauce soja, en baissant le feu. Verser un peu d'eau si le mélange commence à attacher. Faire attention à ne pas prolonger la cuisson afin de garder le croquant des légumes. Servir chaud ou froid en parsemant de graines de sésame.

> 142 kcal / 10 g de lipides

terrine de courgettes

POUR **4** PERSONNES • **15** MINUTES DE PRÉPARATION • **12** MINUTES DE CUISSON

4 petites courgettes
1 oignon nouveau
2 tomates pelées et coupées en dés
2 gousses d'ail pelées (sans le germe)
1 tranche de pain rassis
30 g d'emmenthal râpé
4 œufs
1 boîte de coulis de tomates au naturel
1 c. à soupe de thym ciselé + quelques feuilles pour la décoration
3 pincées de basilic
2 pincées de cumin
1 c. à soupe d'huile d'olive
sel, poivre

Laver les courgettes et les couper en fines rondelles. Peler l'oignon et l'émincer.
Émietter la tranche de pain. Dans une poêle chaude, ajouter l'oignon émincé
et les rondelles de courgettes. Laisser cuire 10 minutes à couvert en remuant
souvent. Ajouter un peu d'eau si nécessaire. Préchauffer le four à 210 °C (th. 7).
Battre les œufs en omelette dans un saladier. Ajouter l'huile d'olive, le cumin, le sel
et le poivre. Lorsque les courgettes sont cuites, incorporer les tomates coupées
en dés, le basilic, les gousses d'ail hachées et le pain émietté. Mélanger.
Verser les œufs battus dans la poêle avec le mélange de légumes. Les laisser à peine
prendre. Ajouter le thym ciselé et l'emmenthal râpé. Mélanger. Verser le tout
dans un moule à cake antiadhésif. Enfourner 20 minutes. Placer au réfrigérateur.
Découper le gâteau en tranches au moment de servir. Le présenter
sur une assiette avec le coulis de tomates et le thym frais ciselé.

> 185 kcal / 11 g de lipides

courgettes au quinoa

Pour 4 personnes • 20 minutes de préparation • 45 minutes de cuisson

60 g de quinoa
2 grosses courgettes
1 oignon rouge haché
2 gousses d'ail écrasées
1 poivron rouge coupé en petits cubes
40 g de pistaches
400 g de tomates concassées (fraîches ou en conserve)
2 c. à soupe d'origan frais (sec à défaut)
1 c. à soupe de persil haché
3 ou 4 c. à soupe rases de parmesan rapé
branches de thym (facultatif)

Faire cuire le quinoa selon le mode d'emploi préconisé. Préchauffer le four à 210 °C (th. 7). Couper les courgettes en deux et les évider. Hacher finement la chair. Faire sauter dans une poêle antiadhésive l'ail, l'oignon, le poivron, la chair des courgettes. Ajouter le quinoa, les tomates, les pistaches et remuer à feu moyen pour attendrir les légumes. Ajouter l'origan et le persil, puis rectifier l'assaisonnement. Garnir les courgettes et saupoudrer de parmesan. Placer dans un plat au four et laisser cuire pendant 20 minutes. Décorer avec des branches de thym.

> 205 kcal / 1 g de lipides

gratin de poivrons

POUR **4** PERSONNES • **10** MINUTES DE PRÉPARATION • **25** MINUTES DE CUISSON

2 poivrons verts
2 poivrons jaunes
4 tomates
4 c. à café de chapelure
1 mozzarella (tranchée en quatre)
4 c. à café d'huile d'olive
4 pincées de carvi
sel, poivre

Faire préchauffer le four à 210 °C (th. 7). Laver les tomates et les poivrons. Les couper en deux (en gardant les queues des poivrons) et éliminer les pépins. Placer les poivrons dans un plat à gratin, les garnir des moitiés de tomates, d'une tranche de mozzarella, de l'huile et du carvi. Saler et poivrer. Saupoudrer le dessus de chapelure. Faire cuire au four 25 minutes. Servir chaud.

> 225 kcal / 18 g de lipides

galettes de maïs

POUR **12** GALETTES (**3** PAR PERSONNE) • **25** MINUTES DE PRÉPARATION • **20** MINUTES DE CUISSON

300 g de maïs en conserve égoutté et rincé
4 c. à soupe de crème fraîche allégée à 15 % de matière grasse
2 c. à soupe de farine
3 c. à soupe d'huile
2 pincées de paprika
sel, poivre

Mélanger le maïs, la farine, la crème fraîche et le paprika dans un saladier. Rectifier l'assaisonnement. Faire chauffer une cuillerée à soupe d'huile dans une poêle. Verser quatre petites louches (soit le tiers de la préparation) de pâte en les espaçant bien. Faire cuire sur les deux faces jusqu'à obtenir une couleur dorée. Réserver au chaud. Renouveler l'opération avec le restant de la pâte (en deux fois et en ajoutant une cuillerée à soupe d'huile à chaque cuisson). Déposer sur une feuille de papier absorbant. Servir chaud.

> 180 kcal / 12 g de lipides

moussaka végétarienne

POUR 4 PERSONNES • 20 MINUTES DE PRÉPARATION • 45 MINUTES DE CUISSON

4 grosses aubergines
2 c. à soupe d'huile d'olive
1 oignon émincé
200 g de fromage blanc à 0 % de matière grasse en faisselle
4 grosses tomates pelées, épépinées
30 g de parmesan
2 bonnes pincées de graines de carvi
1 pincée de piment de Cayenne en poudre
sel, poivre

Préchauffer le four à 210 °C (th. 7). Découper deux aubergines lavées en rondelles. Les mettre à dégorger, saupoudrées de sel, dans un saladier. Piquer les deux autres aubergines au couteau. Les faire cuire entières au four pendant 30 minutes. Piquer pour vérifier la cuisson. Laisser refroidir. Essuyer les tranches d'aubergine dégorgées avec un papier absorbant. Les badigeonner d'un peu d'huile sur chaque face et les faire dorer à la poêle chaude ou sous le gril du four. Peler les aubergines refroidies. Les mixer avec l'oignon, les tomates, le piment et une bonne pincée de carvi. Mélanger avec le fromage blanc. Rectifier l'assaisonnement. Monter la moussaka en alternant, dans un plat creux allant au four, les couches de rondelles et de préparation au fromage blanc. Terminer par une couche de rondelles saupoudrées de parmesan. Mettre au four 15 minutes et faire gratiner si nécessaire. Saupoudrer de graines de carvi. Servir chaud ou froid.

> 150 kcal / 8 g de lipides

curry de potiron aux blettes

POUR 4 PERSONNES • 10 MINUTES DE PRÉPARATION • 25 MINUTES DE CUISSON

1 kg de potiron sans la peau
1 c. à soupe de beurre
2 oignons émincés
2 c. à soupe de graines de sésame
2 gousses d'ail écrasées sans le germe
2 c. à soupe de curry
1 bouillon cube de volaille dégraissé
200 g de feuilles de blettes grossièrement découpées
sel, poivre

Préparer les blettes lavées en découpant la base des feuilles (voir pouvez garder la partir blanche pour en faire un gratin sauce blanche). Découper le potiron en cubes grossiers. Faire sauter, au beurre, les oignons et l'ail, dans un grand fait-tout chaud pendant quelques minutes en remuant. Ajouter ensuite les graines de sésame et le curry, en baissant le feu. Ajouter 40 cl d'eau, le bouillon cube et le potiron découpé. Saler, poivrer. Porter à ébullition. Poursuivre la cuisson à feu plus doux (pendant environ 15 à 20 minutes). Verser un peu d'eau si le mélange commence à attacher. Ajouter les feuilles de blettes et laisser mijoter quelques instants. Servir chaud.

> 150 kcal / 5 g de lipides

épinards aux noix de cajou

POUR **4** PERSONNES • **10** MINUTES DE PRÉPARATION • **10** MINUTES DE CUISSON

800 g d'épinards frais
4 c. à soupe de noix de cajou
2 c. à café de sucre en poudre
2 c. à café de vinaigre balsamique
1 gousse d'ail écrasée sans le germe
2 c. à soupe d'huile d'arachide
sel, poivre

Préparer les épinards lavés en découpant la base des feuilles. Allumer le feu sous un wok (ou une poêle antiadhésive). Quand il est chaud, ajouter l'huile puis les épinards. Faire sauter l'ensemble pendant 1 minute en remuant. Ajouter ensuite le vinaigre, en baissant le feu. Saler, poivrer. Ajouter l'ail, les noix de cajou et le sucre. Poursuivre la cuisson. Verser un peu d'eau si le mélange commence à attacher. Servir chaud.

> 150 kcal / 6 g de lipides

curry d'aubergines

POUR **4** PERSONNES • **15** MINUTES DE PRÉPARATION • **35** MINUTES DE CUISSON

4 petites aubergines bien fermes
1 c. à soupe d'huile de sésame (à défaut, d'olive)
2 oignons émincés
2 c. à soupe de graines de coriandre
2 gousses d'ail écrasées sans le germe
2 c. à soupe de curry
1 tomate émondée
1 petit piment rouge ciselé
2 gousses de cardamome
2 yaourts liquides maigres natures
sel, poivre

Préchauffer le four à 210 °C (th. 7). Piquer les aubergines au couteau.
Les faire cuire entières, non pelées, au four pendant 30 minutes. Piquer pour
vérifier la cuisson. Laisser refroidir puis les peler. Les écraser à la fourchette.
Écraser au mortier, ou passer au mixeur, les graines de coriandre et les gousses
de cardamome. Faire suer les oignons, l'ail et la tomate dans une poêle chaude.
Ajouter le piment. Laisser refroidir. Mélanger aux aubergines
avec les yaourts. Ajouter les autres ingrédients. Rectifier l'assaisonnement.
Servir chaud ou froid.

> **75** kcal / 5 g de lipides

riz aux petits pois

POUR **4** PERSONNES • **10** MINUTES DE PRÉPARATION • **15** MINUTES DE CUISSON

2 verres de riz parfumé
1 barquette de cubes de jambon
100 g de petits pois surgelés ou frais (à défaut, en conserve)
1 bouillon cube allégé de volaille
1 c. à soupe d'huile de tournesol
quelques feuilles de persil frisé (facultatif)
sel, poivre

Faire chauffer l'huile dans une cocotte. Ajouter le riz et remuer jusqu'à ce qu'il devienne translucide (c'est une cuisson dite « pilaf »). Ajouter les petits pois, deux grands verres d'eau et le bouillon cube. Laisser cuire à petits bouillons. Ajouter les cubes de jambon en fin de cuisson. Remuer et rectifier l'assaisonnement. Servir chaud et décorer de feuilles de persil frisé.

> 170 kcal / 2 g de lipides

riz aux fruits secs

POUR **4** PERSONNES • **10** MINUTES DE PRÉPARATION • **15** MINUTES DE CUISSON

2 verres de riz parfumé
3 c. à soupe de menthe ciselée
50 g de raisins secs
8 dattes
2 oignons émincés
1 c. à soupe rase de gingembre en poudre
1/2 c. à café de graines de carvi
4 tomates émondées
1 pincée de cumin en poudre
1 c. à soupe d'huile d'olive
1 c. à soupe de sucre de canne liquide
sel, poivre

Faire gonfler les raisins et les dattes (dénoyautées et coupées en petits morceaux) dans un bol d'eau chaude. Faire cuire le riz à la créole. Faire revenir les oignons avec l'huile dans une sauteuse chaude, ajouter les tomates. Ajouter le riz cuit et égoutté, puis les épices (gingembre, carvi, cumin), les fruits secs égouttés et le sucre de canne. Rectifier l'assaisonnement. Faire réchauffer l'ensemble. Parsemer de menthe et remuer au moment de servir.

> 225 kcal / 6 g de lipides

gratin de chou-fleur

POUR 4 PERSONNES • 10 MINUTES DE PRÉPARATION • 20 MINUTES DE CUISSON

1 beau chou-fleur
2 oignons émincés
4 œufs
1 verre de lait écrémé
2 pincées de noix de muscade moulue
3 cuil. à soupe de beaufort (à défaut, de comté) râpé
sel, poivre

Préchauffer le four à 210 °C (th. 7). Faire cuire les choux-fleurs à la cocotte-minute pendant 4 minutes à partir de la rotation de la soupape. Pendant ce temps, battre les œufs en omelette avec le lait. Rectifier l'assaisonnement et ajouter la muscade. Répartir les oignons dans le fond d'un plat à gratin, puis recouvrir des bouquets de choux-fleurs. Saler et poivrer l'ensemble. Napper de mélange œufs-lait et recouvrir de beaufort. Enfourner pour 10 à 15 minutes. Servir chaud et gratiné.

> 175 kcal / 10 g de lipides

pancakes de céleri

POUR **6** PANCAKES (**2** PAR PERSONNE) • **30** MINUTES DE PRÉPARATION • **15** MINUTES DE CUISSON

250 g de céleri « boule » lavé, épluché et découpé en morceaux
85 g de farine
1 œuf entier + 1 blanc d'œuf
15 cl de lait écrémé
40 g de beurre (facultatif selon l'ustensile de cuisson utilisé)
quelques brins de persil plat
1 pincée de noix de muscade
sel, poivre

Faire cuire le céleri à l'eau ou à la cocotte. L'égoutter et le passer au presse-purée (la texture finale doit être fine). Mélanger avec l'œuf entier, la farine, la purée et la muscade dans un saladier, puis ajouter doucement le lait. Rectifier l'assaisonnement. Monter le blanc en neige bien ferme. Incorporer au mélange précédent. Faire chauffer 20 g de beurre dans une poêle. Verser trois petites louches (soit la moitié de la préparation) de pâte en les espaçant bien. Faire cuire sur les deux faces jusqu'à obtenir une couleur dorée. Réserver au chaud. Renouveler l'opération avec le restant de la pâte. Déposer sur une feuille de papier absorbant. Servir chaud parsemé de feuilles de persil plat.

> 130 kcal / 5 g de lipides

gnocchis au céleri

Pour 4 personnes • 30 minutes de préparation • 20 minutes de cuisson

1 barquette de gnocchis frais
1 kg de feuilles d'oseille
1 botte de céleri branche
1 oignon émincé
2 pommes à cuire
1 c. à café de sucre en poudre
2 c. à soupe d'huile
quelques feuilles entières de cerfeuil frais (facultatif)
sel, poivre

Préparer les feuilles d'oseille et les faire cuire à l'eau ou à la vapeur. Égoutter, assaisonner et réserver. Découper le céleri branche en fins tronçons et les pommes en cubes. Faire sauter l'oignon avec l'huile dans une poêle chaude. Ajouter le céleri et poursuivre la cuisson (en ajoutant un peu d'eau si nécessaire) sur feu vif en remuant régulièrement. Ajouter les pommes en fin de cuisson et faire légèrement caraméliser (avec, éventuellement, une cuillerée à café de sucre en poudre). Rectifier l'assaisonnement. Faire bouillir de l'eau salée dans une casserole pour y cuire les gnocchis selon les indications du fabricant. Les égoutter et les assaisonner. Servir chaud, dressé à l'assiette et décoré de feuilles de cerfeuil.

> 380 kcal / 9 g de lipides

röstis d'aubergines

POUR **4** PERSONNES • **10** MINUTES DE PRÉPARATION • **10** MINUTES DE CUISSON

2 aubergines bien fermes
1 oignon
2 blancs d'œufs
1 c. à soupe de farine
1 gousse d'ail écrasée sans le germe
2 c. à soupe d'huile
1 c. à soupe de graines de sésame
sel, poivre

Râper les aubergines et l'oignon au robot. Mélanger les œufs à la farine dans un saladier. Ajouter les légumes, l'ail et les graines puis bien incorporer au mélange. Faire chauffer une cuillerée à soupe d'huile dans une poêle chaude et disposer des petits tas de préparation. Aplatir pour former de petites galettes. Faire cuire chaque face jusqu'à obtenir une belle couleur. Ajouter de l'huile quand nécessaire et faire cuire toute la préparation. Égoutter les petites galettes sur du papier absorbant et les assaisonner. Servir chaud.

> 115 kcal / 6 g de lipides

polenta aux blettes

POUR **4** PERSONNES • **10** MINUTES DE PRÉPARATION • **20** MINUTES DE CUISSON

125 g de polenta
1 oignon émincé
150 g de feuilles de blettes émincées
2 œufs
25 cl de lait écrémé
15 g de beurre
1 c. à café de paprika en poudre
sel, poivre

Préparer la polenta, selon les indications du fabricant, avec le lait mélangé à 25 cl d'eau. Faire chauffer le beurre dans une poêle chaude pour faire revenir l'oignon. Ajouter les feuilles de blettes et poursuivre quelques minutes la cuisson. Battre les œufs en omelette avec le paprika et les ajouter à la polenta tiède. Incorporer les oignons et les blettes. Bien mélanger. Rectifier l'assaisonnement. Répartir en forme de galette dans une assiette. Faire dorer chaque face dans une poêle, au moment de servir, jusqu 'à obtenir une belle couleur. Déguster chaud.

> 210 kcal / 6 g de lipides

tian de courgettes à la mozzarella

POUR **4** PERSONNES • **10** MINUTES DE PRÉPARATION • **60** MINUTES DE CUISSON

2 mozzarellas
4 petites courgettes
8 tomates à chair ferme
1 gousse d'ail écrasée sans le germe
2 c. à soupe de basilic ciselé
2 c. à soupe d'huile d'olive
quelques olives noires (facultatif)
sel, poivre

Préchauffer le four à 210 °C (th. 7). Laver les légumes et les trancher en tronçons réguliers. Égoutter la mozzarella et la trancher de la même façon. Dans un plat à gratin, alterner les tronçons de légumes et de fromage jusqu'à épuisement des ingrédients. Saler et poivrer l'ensemble. Napper du mélange huile, basilic et ail. Enfourner pour 60 minutes. (Recouvrir en cours de route d'une feuille de papier aluminium si la coloration apparaît trop vite !) Servir chaud, gratiné et décoré d'olives noires.

> 260 kcal / 15 g de lipides

endives au bacon

POUR **4** PERSONNES • **10** MINUTES DE PRÉPARATION • **15** MINUTES DE CUISSON

4 endives
8 tranches de bacon
20 cl de crème fraîche à 15 % de Mat. Gr.
2 fromages fondus allégés
2 pincées de noix de muscade râpée
sel, poivre

Passer les endives sous l'eau et tailler la base. Les cuire 10 minutes à l'autocuiseur. Les égoutter. Disposer dans un plat à gratin chaque endive enroulée dans deux tranches de bacon nappées de crème fraîche. Découper dessus un demi-fromage par personne. Saler, poivrer et saupoudrer de noix de muscade. Passer 10 minutes à four chaud : 210 °C (th. 7). Faire gratiner si nécessaire.

> 130 kcal / 9 g de lipides

lasagnes à la brousse

POUR **4** PERSONNES • **10** MINUTES DE PRÉPARATION • **25** MINUTES DE CUISSON

8 plaques de lasagnes crues
150 g de brousse (ou de bruccio)
50 g de fromage de chèvre râpé (pélardon ou crottin de Chavignol)
1 verre de pulpe de tomate nature
2 grosses tomates
1 gousse d'ail écrasée sans le germe
3 c. à soupe de sarriette ciselée
quelques feuilles entières de sarriette fraîche (facultatif)
sel, poivre

Préchauffer le four à 210 °C (th. 7). Faire bouillir de l'eau salée
dans une casserole. Faire cuire les plaques de lasagnes selon les indications
du fabricant. Émietter la brousse. Mélanger la pulpe, l'ail, la brousse et la sarriette
dans un saladier. Rectifier l'assaisonnement. Découper les tomates en rondelles.
Égoutter les lasagnes. Dans un plat rectangulaire à gratin (assez étroit), déposer
une couche de rondelles de tomates, puis une couche de lasagnes, une couche de sauce
et poursuivre jusqu'à épuisement des ingrédients. Terminer par une couche de sauce
et recouvrir de fromage de chèvre râpé. Enfourner pour 20 minutes. Servir
dans le plat de cuisson, doré et décoré de feuilles de sarriette fraîche.

> 215 kcal / 15 g de lipides

chacun sa sauce

sauce jaune

POUR 4 PERSONNES • 5 MINUTES DE PRÉPARATION

100 ml de jus de citron jaune
zeste d'un demi-citron non traité
2 c. à soupe d'huile d'olive
1/2 gousse d'ail écrasée (sans le germe)
1/2 c. à café de curry en poudre
sel, poivre

Mélanger tous les ingrédients dans un bocal hermétique.
Rectifier l'assaisonnement.

> 210 kcal / 20 g de lipides

sauce rouge

POUR **4** PERSONNES • **5** MINUTES DE PRÉPARATION

1 c. à café de Tabasco
1 gousse d'ail écrasée (sans le germe)
1/2 c. à café d'édulcorant en poudre
2 c. à soupe d'huile d'olive
1 c. à soupe de concentré de tomates
3 c. à soupe de vinaigre de cidre
sel, poivre

Mélanger tous les ingrédients dans un bocal hermétique ou au mixeur.
Rectifier l'assaisonnement.

> 100 kcal / 20 g de lipides

sauce verte

POUR **4** PERSONNES • **5** MINUTES DE PRÉPARATION

4 c. à soupe d'huile d'olive
1 c. à soupe de vinaigre de vin rouge
3 c. à café de basilic frais ciselé
sel, poivre

Mélanger tous les ingrédients au mixeur.
Rectifier l'assaisonnement.

> 360 kcal / 40 g de lipides

sauce asiatique

POUR **4** PERSONNES • **5** MINUTES DE PRÉPARATION

3 c. à soupe de sauce soja
1 c. à café de Tabasco
1 gousse d'ail écrasée (sans le germe)
1/2 c. à café d'édulcorant en poudre
1 c. à soupe d'huile de pépin de raisin
1 c. à soupe d'huile de sésame
3 c. à soupe de vinaigre de riz
sel, poivre

Mélanger tous les ingrédients dans un bocal hermétique ou au mixeur.
Rectifier l'assaisonnement.

> 200 kcal / 5 g de lipides

sauce légère

POUR **4** PERSONNES • **5** MINUTES DE PRÉPARATION

8 cl de lait demi-écrémé
2 c. à soupe de vinaigrette allégée (du commerce)
1 c. à soupe de moutarde
1 c. à soupe de miel liquide
2 c. à soupe d'estragon haché
sel, poivre

Mélanger tous les ingrédients dans un bocal hermétique ou au mixeur.
Rectifier l'assaisonnement.

> 225 kcal / 15 g de lipides

sauce du Sud

POUR **4** PERSONNES • **5** MINUTES DE PRÉPARATION

1 jus de citron jaune
1 jus de citron vert
le zeste d'1/2 citron non traité
2 c. à soupe d'huile d'olive
1/2 gousse d'ail écrasée (sans le germe)
2 cosses de cardamome pilées
1/2 c. à café de coriandre en poudre
sel, poivre

Mélanger tous les ingrédients dans un bocal hermétique.
Rectifier l'assaisonnement.

> **120** kcal / 20 g de lipides

vinaigrette du Soleil levant

POUR **4** PERSONNES • **5** MINUTES DE PRÉPARATION

2 c. à soupe d'huile d'arachide
1 c. à soupe de vinaigre de riz
1 petit piment rouge finement haché
1/2 c. à café d'édulcorant en poudre
1 c. à soupe de sauce de poisson (nuoc-mâm)
sel, poivre

Mélanger tous les ingrédients dans un bocal hermétique ou au mixeur.
Rectifier l'assaisonnement.

> 180 kcal / 20 g de lipides

mayonnaise « corrigée »

POUR **4** PERSONNES • **5** MINUTES DE PRÉPARATION

1 jaune d'œuf
1 c. à café de moutarde fine
100 g de fromage blanc à 20 % de matière grasse
1 c. à soupe d'huile (olive pour un goût plus typé, tournesol pour un goût plus « neutre »)
le jus d'un demi-citron
sel, poivre

Battre le jaune d'œuf avec la moutarde dans un bol. Ajouter le fromage blanc et mélanger pour bien l'incorporer. Ajouter le jus de citron. Rectifier l'assaisonnement.

Vous pouvez ajouter à votre guise épices et herbes pour aromatiser votre mayonnaise de maintes façons : aux herbes fraîches (estragon, basilic, ciboulette...), au curry, au paprika, au piment...

> 175 kcal / 20 g de lipides

sauce piquante

POUR **4** PERSONNES • **5** MINUTES DE PRÉPARATION

3 c. à soupe bombées de crème fraîche à 15 % de matière grasse
3 c. à café de moutarde à l'ancienne
1 pincée de paprika
1 cornichon finement haché
quelques câpres
sel, poivre

Mélanger tous les ingrédients.
Rectifier l'assaisonnement.

> **125** kcal / 15 g de lipides

salsa fraîche à la tomate

POUR 4 PERSONNES • 5 MINUTES DE PRÉPARATION

4 tomates bien mûres (mais fermes) pelées
1 oignon rouge
1 gousse d'ail hachée (sans le germe)
2 c. à soupe de coriandre fraîche finement hachée
1 c. à soupe d'huile d'olive
1/2 piment rouge ou vert épépiné
sel, poivre

Découper les tomates en petits morceaux et les placer dans un saladier.
Peler l'oignon. Émincer très finement l'oignon et le piment.
Mélanger tous les ingrédients. Rectifier l'assaisonnement.

> 150 kcal / 10 g de lipides

desserts fruités, douceurs lactées

et gâteaux tout légers

bricks de kiwis

POUR **4** PERSONNES • **10** MINUTES DE PRÉPARATION • **5** MINUTES DE CUISSON

4 kiwis
4 feuilles de brick
4 c. à soupe de miel liquide
fleurs de violette cristallisées (facultatif)

Préchauffer le four à 210 °C (th. 7). Éplucher les kiwis. Les découper en fines tranches. Les répartir sur les 4 feuilles de brick et ajouter le miel. Fermer les feuilles en chausson ou en ballotin. Enfourner 5 minutes (la feuille de brick doit être colorée). Servir immédiatement. Décorer des quelques fleurs de violette cristallisées.

> 135 kcal / 1 g de lipides

papillotes de pêches et d'abricots au safran

POUR **4** PERSONNES • **10** MINUTES DE PRÉPARATION • **8** MINUTES DE CUISSON

2 grosses pêches (ou 4 petites)
2 abricots
2 sachets de sucre vanillé
4 c. à soupe d'alcool de fruit (facultatif)
4 pistils de safran
quelques fruits rouges (facultatif)

Peler les pêches. Les découper en petits morceaux. Les disposer sur quatre feuilles de papier sulfurisé. Ajouter le sucre, le safran et éventuellement l'alcool de fruit. Mettre les papillotes au four à micro-ondes à la puissance maximale durant 6 à 8 minutes. Servir les papillotes parsemées de fruits rouges frais.

> 180 kcal / 1 g de lipides

émincé de pommes

POUR 4 PERSONNES • **10** MINUTES DE PRÉPARATION • **30** MINUTES DE CUISSON

2 pommes rouges
2 pommes jaunes
1 jus de citron
1/2 c. à café de cannelle en poudre
sucre glace et bâton de cannelle (facultatif)

Laver et évider les pommes. Les découper en tranches (de façon horizontale).
Les arroser de jus de citron. Faire chauffer, à sec, une poêle. Faire dorer
chaque face des tranches (elles doivent rester entières). Les « reconstituer »
en alternant les couleurs et placer un bâton de cannelle dans le trou central.
Les saupoudrer de cannelle. Saupoudrer de sucre glace au moment de servir.

> 70 kcal / 0 g de lipides

poires marinées

POUR **4** PERSONNES • **10** MINUTES DE PRÉPARATION • **30** MINUTES DE CUISSON

4 poires
50 cl de vin blanc moelleux (bordeaux blanc)
3 c. à soupe de sucre semoule
1 sachet de sucre vanillé
1 clou de girofle
1/2 c. à café de poivre vert entier
2 feuilles de sauge

Choisir une casserole suffisamment grande pour pouvoir y placer tous les fruits. Y verser le vin, le sucre et les épices. Porter à ébullition 5 minutes. Ajouter les poires entières pelées. Attendre le retour de l'ébullition. Baisser le feu. Couvrir. Faire cuire à frémissements 10 à 15 minutes. Verser le tout dans un compotier. Réserver au frais avec les aromates (à enlever au moment de servir).

> 200 kcal / 0 g de lipides

duo de melons

POUR **4** PERSONNES • **15** MINUTES DE PRÉPARATION • **1** HEURE DE RÉFRIGÉRATION

1 melon à chair verte
1 melon à chair blanche
1 jus de citron
2 c. à soupe de sirop de citron
1 petite pincée de sel
quelques feuilles de menthe fraîche (ou de citronnelle)

Couper les melons en deux, les épépiner. Évider les melons de leur chair en faisant des billes avec une petite cuillère ou une cuillère spécifique. Réserver dans un saladier. Arroser les billes de melon avec le jus et le sirop de citron. Ajouter le sel. Remuer délicatement. Laisser macérer au frais au moins 1 heure. Servir dans de grands verres et décorer de menthe ciselée.

> 130 kcal / 1 g de lipides

fruits frais façon crumble

POUR **4** PERSONNES • **10** MINUTES DE PRÉPARATION • **5** MINUTES DE CUISSON

8 c. à soupe de flocons d'avoine
10 g de beurre salé fondu
4 c. à soupe de miel liquide
600 g de fruits frais au choix
crème fouettée (facultatif)

Préchauffer le gril du four. Réaliser un caramel dans une casserole à fond épais avec le miel et 5 cl d'eau. Ajouter le beurre, puis les flocons au caramel. Bien mélanger. Placer les fruits dans des ramequins individuels allant au four (en verre pour un joli effet). Verser dessus un quart de la préparation. Faire dorer au four. Servir tiède avec une noisette de crème fouettée et quelques morceaux de fruits.

> 265 kcal / 3 g de lipides

groseilles sur compotée de cassis

POUR **4** PERSONNES • **15** MINUTES DE PRÉPARATION • **5** MINUTES DE CUISSON

400 g de cassis (frais ou surgelés)
250 g de groseilles (fraîches ou surgelées)
2 c. à soupe de miel
3 c. à soupe de vin blanc doux
édulcorant en poudre
une douzaine de framboises

Faire chauffer tout doucement les cassis dans une casserole avec le miel et le vin. Bien mélanger puis laisser mijoter jusqu'à cuisson complète. Verser l'ensemble dans un robot. Mixer grossièrement en compotée. Laisser refroidir. Goûter et ajouter de l'édulcorant selon son goût. Disposer les groseilles dans des raviers, verser le coulis dessus et décorer avec des framboises. Servir bien frais.

> **118** kcal / 1 g de lipides

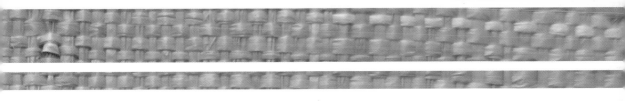

compotée d'hiver

POUR 4 PERSONNES • **5** MINUTES DE PRÉPARATION • **5** MINUTES DE CUISSON

3 pommes
2 poires
1 banane
4 pruneaux
4 dattes
4 figues sèches
2 c. à soupe de raisins secs
1 pincée de baies roses moulues
1/2 gousse de vanille
2 c. à café d'édulcorant en poudre (facultatif)

Éplucher tous les fruits et les découper en petits morceaux. Les placer dans une casserole avec les baies roses, les raisins secs, la vanille, éventuellement l'édulcorant et un fond d'eau. Faire cuire 5 à 10 minutes à feu doux. Servir tiède.

> 225 kcal / 0 g de lipides

fondue fruitée au chocolat

POUR **4** PERSONNES • **10** MINUTES DE PRÉPARATION

8 c. à soupe bombées de fromage blanc à 0 % de matière grasse
4 c. à café de crème fraîche allégée
1 c. à soupe bombée de pâte à tartiner chocolatée
8 c. à soupe rase de cacao en poudre dégraissé
4 c. à soupe d'édulcorant en poudre (ou moins selon le goût sucré souhaité)
150 g de fruits au choix par personne

Mélanger énergiquement et de façon homogène tous les ingrédients dans un petit saladier. Découper les fruits. Plonger les fruits au bout d'une pique dans la préparation.

> 130 kcal / 7 g de lipides

mousse de framboises

Pour **4** personnes • **30** minutes de préparation • **12** heures de réfrigération

3 feuilles de gélatine
400 g de fromage blanc (ou 4 pots individuels) à 0 % de matière grasse
4 c. à soupe de sucre glace
4 blancs d'œufs
3 c. à soupe de sirop de fraises
200 g de framboises
1 pincée de sel
1 pincée de poivre blanc
quelques cassis frais en décoration

Faire tremper les feuilles de gélatine dans de l'eau froide pendant 5 à 10 minutes. Les essorer. Porter à ébullition 12 cl d'eau et y placer les feuilles en remuant jusqu'à parfaite dissolution. Mélanger le fromage blanc et le sucre glace dans un grand saladier puis ajouter la gélatine dissoute. Battre les blancs en neige ferme (avec une pincée de sel) et les mélanger délicatement au fromage blanc. Réserver la moitié de la préparation et ajouter, en mélangeant délicatement, le sirop. Procéder de même en ajoutant à l'autre moitié les framboises écrasées et la pincée de poivre. Répartir dans des grands verres les deux couches superposées de chacun des mélanges. Laisser prendre l'ensemble au réfrigérateur au moins 12 heures. Décorer, au moment de servir, de quelques cassis frais.

> 166 kcal / 1 g de lipides

nectarines au vin

POUR 4 PERSONNES • 10 MINUTES DE PRÉPARATION • 10 MINUTES DE CUISSON

4 c. à soupe de sucre
40 cl de vin blanc doux
4 nectarines pelées
4 c. à soupe de crème fraîche allégée (facultatif)
badiane (ou anis étoilé)
quelques framboises (pour la décoration)

Préparer un sirop avec le vin et le sucre dans une casserole à fond épais, à feu doux. Ajouter la badiane à infuser. Augmenter le feu pour faire bouillir et réduire. Ajouter les nectarines détaillées en fines tranches. Laisser sur le feu 1 minute. Réserver au frais. Dresser dans une assiette les tranches de nectarines en éventail. Napper du sirop. Ajouter la crème et les framboises.

> 290 kcal / 4 g de lipides

gratin de mirabelles

POUR **4** PERSONNES • **20** MINUTES DE PRÉPARATION • **15** MINUTES DE CUISSON

600 g de mirabelles
20 cl de jus de poires
4 c. à soupe de miel liquide
4 jaunes d'œufs
quelques feuilles de thym (frais ou sec)

Laver les mirabelles. Les couper en deux pour les dénoyauter. Répartir les oreillons dans un plat allant au four. Battre (au fouet électrique de préférence) les jaunes d'œufs avec le miel dans un saladier jusqu'à ce que le mélange blanchisse. Incorporer alors le jus de poires, toujours en fouettant. Placer le saladier dans un bain-marie bouillant. Fouetter encore (au moins 10 minutes) pour bien épaissir la préparation. Retirer immédiatement alors du bain-marie. Continuer à battre pour refroidir un peu la crème. Répartir cette préparation dans le plat sur les fruits. Faire dorer quelques minutes sous le gril du four : attention, la crème ne doit pas noircir ! Décorer de feuilles de thym et servir de suite.

> 370 kcal / 12 g de lipides

clafoutis d'été

POUR **4** PERSONNES • **25** MINUTES DE PRÉPARATION • **30** MINUTES DE CUISSON

500 g de pêches ou de brugnons bien mûrs
4 œufs
100 g de sucre
2 sachets de sucre vanillé
4 cuil. à soupe de farine
15 cl de crème fraîche liquide à 15 % de matière grasse
10 cl de lait écrémé
2 c. à soupe de kirsch (facultatif)

Préchauffer le four à 180 °C (th 6). Faire sauter les fruits lavés, épluchés et dénoyautés dans une poêle chaude, sur feu moyen, pendant 3 minutes avec un sachet de sucre vanillé. Faire caraméliser légèrement. Les flamber avec le kirsch. Blanchir au fouet les œufs et le sucre dans un saladier. Ajouter la farine toujours en fouettant. Incorporer la crème fraîche et le lait dès que le mélange est homogène. Placer les fruits dans un plat allant au four. Verser la préparation dans le moule sur les fruits. Glisser au four pendant 20 à 30 minutes. Monter le four à 210 °C (th. 7). Saupoudrer le clafoutis du sucre vanillé restant. Terminer la cuisson pendant 5 minutes. Servir tiède ou froid.

> 350 kcal / 15 g de lipides

mirabelles rôties à la vanille

POUR **4** PERSONNES • **10** MINUTES DE PRÉPARATION • **5** MINUTES DE CUISSON

32 mirabelles dénoyautées
3 cl de lait écrémé
1 œuf
4 c. à soupe de crème fraîche liquide allégée
2 c. à soupe d'édulcorant en poudre
8 gouttes de vanille liquide
vanille en poudre (facultatif)

Préchauffer le four à 180 °C (th. 6). Mélanger tous les ingrédients (sauf les fruits) en fouettant dans un saladier. Répartir les mirabelles dans quatre ramequins assez larges (style ramequin à crème brûlée). Verser un quart de la préparation dans chaque ramequin. Passer le four sur position gril. Enfourner pendant 5 minutes, en surveillant la cuisson (le plat doit être juste doré). Servir tiède, saupoudré de vanille en poudre.

> 110 kcal / 5 g de lipides

coupes de fromage blanc aux poires

1 grosse boîte de poires au sirop
400 g de fromage blanc à 0 % de matière grasse en faisselle
2 sachets de sucre vanillé
2 c. à soupe de pignons de pin finement écrasés
1/2 c. à café de cardamome en poudre

Égoutter les poires, les répartir dans des coupes individuelles. Mélanger le fromage blanc avec le sucre vanillé et la cardamome. Verser le mélange sur les fruits. Saupoudrer avec les pignons et servir frais.

> 200 kcal / 5 g de lipides

flans normands

POUR **4** PERSONNES • **10** MINUTES DE PRÉPARATION • **35** MINUTES DE CUISSON • FACILE

1 l de lait écrémé
4 œufs
1 gousse de vanille
80 g de sucre semoule
2 pommes sucrées
1 jus de citron
4 boules de sorbet, à la poire par exemple (facultatif)

Préchauffer le four à 180 °C (th 6). Laver et peler les pommes sucrées.
Les cuire 3 minutes au four à micro-ondes à puissance maximale avec un jus de citron.
Mélanger les œufs et le sucre. Faire chauffer le lait avec la gousse de vanille
et l'incorporer vigoureusement au mélange œufs-sucre. Disposer les pommes cuites
dans un moule ou dans plusieurs petits ramequins et verser dessus le mélange réalisé.
Disposer le moule ou les ramequins dans un bain-marie avec de l'eau chaude.
Faire cuire les flans, toujours au bain-marie, au four pendant 25 à 30 minutes.
Servir tiède avec une boule de sorbet.

> 420 kcal / 7 g de lipides

framboises à la crème d'amandes

POUR **4** PERSONNES • **10** MINUTES DE PRÉPARATION

500 g de framboises
1 blanc d'œuf
8 c. à soupe de fromage blanc en faisselle allégé
2 c. à soupe d'édulcorant en poudre
8 gouttes d'extrait d'amandes
1 c. à soupe de poudre d'amandes
1 pincée de sel
amandes effilées légèrement grillées (facultatif)

Mélanger dans un saladier, en remuant bien, le fromage blanc, l'édulcorant, l'extrait et la poudre d'amandes. Monter le blanc d'œuf en neige ferme avec une pincée de sel. Mélanger délicatement à la préparation précédente. Répartir la crème d'amandes dans des petits bols individuels et disposer les framboises. Servir bien frais et décoré d'amandes effilées légèrement grillées.

> 110 kcal / 5 g de lipides

milk-shake aux figues

POUR **4** PERSONNES • **5** MINUTES DE PRÉPARATION

4 figues (ou 8 si petites) bien mûres
4 boules de sorbet de figue (ou à la vanille)
40 cl de lait écrémé
1 filet de sirop (choisir le parfum pour une couleur en harmonie avec celle des fruits)

Mettre dans une soucoupe le sucre et dans une autre le sirop. Plonger le haut d'un verre dans le sirop, puis dans le sucre. Répéter l'opération trois fois. Placer ces verres au congélateur. Mixer au robot les fruits (en réserver quelques morceaux pour la décoration), le lait et le sorbet . Disposer dans les verres « glacés ». Décorer de petits morceaux de fruits.

> 130 kcal / 1 g de lipides

poires aux cassis

POUR **4** PERSONNES • **10** MINUTES DE PRÉPARATION • **20** MINUTES DE CUISSON

4 poires bien mûres
1/2 barquette de cassis
50 cl de lait écrémé
2 c. à soupe d'édulcorant en poudre
2 pincées de cardamome en poudre
1 petite pincée de poivre vert moulu
1 jus de citron
2 blancs d'œufs
1 c. à soupe d'amandes en poudre

Préchauffer le four à 210 °C (th. 7). Éplucher les poires et les découper en petits cubes. Les faire pocher à l'eau bouillante avec le jus de citron pendant quelques instants. Elles doivent rester souples sous la dent. Les égoutter. Dans un saladier, mélanger l'édulcorant aux blancs d'œufs. Battre légèrement pour obtenir un mélange mousseux. Ajouter les épices et la poudre d'amandes. Incorporer, peu à peu, le lait. Répartir les poires dans quatre ramequins. Napper du quart de la préparation. Ajouter les cassis et en garder quelques-uns. Enfourner pendant 15 minutes, en surveillant la cuisson. Servir chaud, tiède ou froid, décoré de cassis frais.

> 110 kcal / 2 g de lipides

charlotte aux pêches

POUR **4** PERSONNES • **40** MINUTES DE PRÉPARATION • **5** MINUTES DE CUISSON • **5** HEURES DE RÉFRIGÉRATION

400 g de pêches dénoyautées
12 biscuits style « boudoirs »
15 cl de lait écrémé
1 œuf
100 g de fromage blanc à 0 % de matière grasse
4 feuilles de gélatine alimentaire
5 c. à soupe de sucre (ou de vergeoise)
1 pincée de vanille en poudre
1 pincée de sel

Mixer 300 g de pêches (garder les autres morceaux pour la décoration). Couvrir d'un film alimentaire et réserver au frais. Faire ramollir la gélatine dans de l'eau froide. Séparer le blanc et le jaune d'œuf. Dans un saladier, battre le jaune avec le sucre. Dans une casserole, porter à ébullition le lait additionné de la vanille. Verser le lait sur le mélange jaune d'œuf-sucre. Reverser le tout dans la casserole. Mettre à cuire à feu doux en remuant. Lorsque la crème nappe la cuillère, retirer du feu et incorporer les feuilles de gélatine égouttées. Ajouter la purée de pêches et mettre à refroidir. Battre le fromage blanc au fouet et l'incorporer délicatement à la crème. Monter le blanc d'œuf en neige ferme, avec une pincée de sel, et procéder de même. Tapisser un moule à charlotte de boudoirs. En conserver quelques-uns pour constituer ensuite la base de la charlotte. Garnir de crème aux pêches. Laisser prendre 1 heure au réfrigérateur. Recouvrir avec les boudoirs restants (si nécessaire, découper les autres pour égaliser les bords). Laisser prendre 4 heures au réfrigérateur. Démouler la charlotte. Servir chaque part accompagnée de quelques morceaux de pêches.

Vous pouvez décliner cette recette avec des fruits surgelés ou des fruits au sirop (pour les réalisations hors saison). Pensez alors à bien faire égoutter les fruits.

> 150 kcal / 2 g de lipides

ramequin à la lavande

POUR **4** PERSONNES • **10** MINUTES DE PRÉPARATION • **30** MINUTES DE CUISSON

40 cl de lait écrémé
2 œufs
4 c. à soupe rase d'édulcorant en poudre
2 gouttes d'essence de lavande (veiller à ne pas dépasser la dose !)
fleurs de lavande (facultatif)

Préchauffer le four à 180 °C (th. 6). Faire bouillir le lait. Mélanger l'édulcorant aux œufs dans un saladier. Ajouter l'essence de lavande. Incorporer délicatement, et peu à peu, le lait. Répartir dans quatre ramequins. Enfourner pendant 25 minutes, au bain-marie, en surveillant la cuisson. Laisser refroidir. Décorer de fleurs de lavande au moment de servir.

> 125 kcal / 5 g de lipides

tarte aux abricots toute légère

POUR **4** PERSONNES • **40** MINUTES DE PRÉPARATION • **35** MINUTES DE CUISSON

Pour la pâte « revue et corrigée »
200 g de farine
50 g de beurre tendre
60 g de petit-suisse nature à 20 % de matière grasse
1 pincée de sel

Pour la garniture
500 g d'abricots
2 ou 3 c. à soupe de sucre glace (facultatif)

Disposer la farine avec le sel, le beurre coupé en petits morceaux et le petit-suisse dans un saladier. Malaxer finement du bout des doigts pour obtenir un aspect sablé. Ajouter l'eau petit à petit pour former une boule qui se détache bien du récipient. Laisser reposer 30 minutes au réfrigérateur, recouvert d'un linge. Pendant ce temps, préchauffer le four à 180 °C (th. 6). Laver et dénoyauter les abricots. Étaler la pâte. Déposer une fine pellicule de farine sur un plat à tarte et garnir ce plat de la pâte. La faire précuire à sec 5 minutes. Disposer les abricots coupés en quartier sur le fond de pâte précuite. Prolonger la cuisson 30 à 40 minutes. À la sortie du four, laisser refroidir. Saupoudrer éventuellement de sucre glace au moment de servir.

> 165 kcal / 6 g de lipides

tartines banane-cacao

POUR **4** PERSONNES • **15** MINUTES DE PRÉPARATION

8 tranches de brioche
4 c. à soupe de crème fraîche à 15 % de matière grasse
4 c. à café de cacao en poudre non sucré
2 bananes
1/2 c. à café de vanille en poudre
4 c. à café de sucre en poudre ou d'édulcorant

Éplucher les bananes. Les couper en petites tranches assez fines. Napper les tranches de brioche avec la crème et saupoudrer de cacao. Disposer joliment les tranches de banane. Saupoudrer de la vanille et du sucre. Faire gratiner au gril du four pour colorer l'ensemble. Servir tiède ou froid.

> 230 kcal / 2 g de lipides

pain perdu à la canadienne

POUR **8** PERSONNES • **15** MINUTES DE PRÉPARATION • **25** MINUTES DE CUISSON

50 cl de lait écrémé
3 œufs
1 pincée de sel
2 c. à café de cannelle en poudre
8 belle tranches de pain rassis
8 c. à café de sirop d'érable

Battre le lait, les œufs, le sel et la cannelle dans un saladier. Tremper les tranches, recto verso, dans le mélange. Faire cuire dans une poêle chaude pendant 2 à 3 minutes par face. Napper de sirop d'érable au moment de servir.

> 150 kcal / 3 g de lipides

fromage blanc en gâteau

POUR **6** PERSONNES • **10** MINUTES DE PRÉPARATION • **40** MINUTES DE CUISSON

2 œufs

200 g de fromage blanc à 0 % de matière grasse en faisselle

1 zeste d'orange non traitée

le jus d'un demi-citron vert

140 g de farine

1/2 sachet de levure chimique

100 g de sucre

20 g de beurre

2 c. à soupe de Grand Marnier (facultatif)

1 pincée de sel

Préchauffer le four à 210 °C (th. 7). Séparer les blancs des jaunes. Battre les jaunes en omelette puis y incorporer le sucre. Battre énergiquement jusqu'à ce que le mélange blanchisse (au fouet électrique de préférence). Ajouter le beurre fondu, le fromage blanc, la farine mélangée avec la levure, le zeste d'orange et le jus de citron. Ajouter le Grand Marnier pour un parfum d'agrumes plus prononcé. Battre les blancs d'œufs (avec une pincée de sel) en neige ferme puis les incorporer délicatement à la pâte. Verser dans un moule à gâteau antiadhésif. Faire cuire 40 minutes au four.

> 230 kcal / 6 g de lipides

gâteau citronné et compote d'oranges sanguines

POUR **4** PERSONNES • **10** MINUTES DE PRÉPARATION • **30** MINUTES DE CUISSON

Pour le gâteau

2 œufs

60 g de sucre en poudre

250 g de fromage blanc à 0 % de matière grasse

1 zeste de citron vert non traité

6 c. à soupe bombées de fécule de maïs

1/2 c. à café d'arôme citron

1 pincée de sel

Pour la compote

3 oranges sanguines

3 c. à soupe de sucre en poudre

1 pincée de cannelle

Fariner un moule à cake. Préchauffer le four à 210 °C (th. 7). Battre les jaunes d'œufs avec le sucre dans un saladier pour obtenir un mélange mousseux. Ajouter le fromage blanc, le zeste d'un citron non traité, l'arôme citron et la fécule de maïs. Battre les blancs en neige ferme (avec une pincée de sel). Les incorporer délicatement au mélange précédent. Verser dans le moule. Baisser la température du four à 180 °C (th. 6) et faire cuire 30 minutes. Pendant ce temps, préparer la compote : éplucher correctement les oranges sanguines en enlevant bien les peaux blanches. Placer la chair dans le bol d'un mixeur avec le sucre en poudre et la cannelle. Mixer l'ensemble. Servir le gâteau citronné accompagné de la purée d'oranges sanguines.

Vous pouvez jouer sur un « chaud-froid » en réchauffant au four à micro-ondes la compote. Le contraste n'en sera que plus séduisant !

> 290 kcal / 4 g de lipides

génoise à l'eau de rose

POUR **4** PERSONNES • **15** MINUTES DE PRÉPARATION • **10** À **15** MINUTES DE CUISSON

2 gros œufs
80 g de sucre en poudre
50 g de farine
200 g de fromage blanc à 0 % de matière grasse
2 c. à soupe d'eau de rose
quelques pétales de rose fraîches (facultatif)
1 pincée de sel

Préchauffer le four à 210 °C (th. 7). Séparer les blancs des jaunes. Battre les blancs avec une pincée de sel en neige ferme puis ajouter 50 g de sucre en pluie. Mélanger délicatement alors avec le jaune puis y incorporer la farine. Verser dans quatre moules à muffins individuels et antiadhésifs. Faire cuire 10 minutes au four. Les génoises doivent lever et être dorées. Poursuivre si nécessaire la cuisson. Préparer un sirop avec 20 cl d'eau et le restant de sucre dans une casserole à fond épais, à feu doux. Augmenter le feu pour faire bouillir et réduire. Ajouter l'eau de rose. Verser le sirop sur les génoises démoulées pour les imprégner. Dresser sur assiette avec le fromage blanc battu et décorer de pétales de rose.

> 185 kcal / 2,5 g de lipides

mini gâteaux à l'orange

POUR **4** PERSONNES • **15** MINUTES DE PRÉPARATION • **25** MINUTES DE CUISSON

1 gros œuf
100 g de sucre en poudre + 2 c. à soupe
180 g de farine
1 sachet de levure
40 g de beurre fondu
2 oranges (sanguines de préférence) : jus + zestes
1 yaourt brassé nature
quelques cosses de cardamome
2 gouttes d'extrait de bergamote (facultatif)

Préchauffer le four à 210 °C (th. 7). Battre légèrement l'œuf. Mélanger la farine, la levure, le beurre, le yaourt, le jus des oranges. Ajouter l'œuf. Verser la pâte dans des moules à muffins individuels et antiadhésifs (voire en papier). Faire cuire 20 minutes au four. Les muffins doivent lever et être dorés. Poursuivre si nécessaire la cuisson. Préparer un sirop léger avec 10 cl d'eau et deux cuillerées à soupe de sucre, dans une casserole à fond épais, à feu doux. Augmenter le feu pour faire bouillir et réduire. Ajouter une partie des zestes d'orange et des cosses de cardamome (et l'extrait de bergamote). Verser le sirop sur les muffins démoulés pour les imprégner. Dresser sur assiette avec le reste des zestes et des cosses de cardamome.

> 190 kcal / 5 g de lipides

soufflés à l'orange

POUR **4** PERSONNES • **30** MINUTES DE PRÉPARATION • **25** MINUTES DE CUISSON

50 g de sucre en poudre
10 g de fécule de maïs
20 cl de lait écrémé
1 c. à soupe de zestes d'orange sanguine non traitée
5 cl de jus d'oranges sanguines
30 g de margarine allégée
1 jaune d'œuf
5 blancs d'œufs
1 c. à soupe de Grand Marnier
1 pincée de cannelle
1 pincée de sel

Préchauffer le four à 210 °C (th. 7). Porter le lait à ébullition avec les zestes et le sucre dans une casserole, tout en remuant. Délayer la fécule dans le jus d'orange. Ajouter progressivement au lait, après avoir baissé le feu, en remuant sans cesse. Faire épaissir quelques minutes à feu doux. Ajouter la margarine, la cannelle et le Grand Marnier. Hors du feu, ajouter le jaune d'œuf. Monter les blancs en neige ferme avec une pincée de sel. Les incorporer délicatement au mélange. Dresser dans des ramequins (style moule à muffin). Baisser la température du four à 180 °C (th. 6). Enfourner pendant 15 minutes (en surveillant la cuisson). Déguster dès la sortie du four.

> 150 kcal / 4 g de lipides

gâteau aux poires et à la cardamome

POUR **4** PERSONNES • **15** MINUTES DE PRÉPARATION • **40** MINUTES DE CUISSON

4 grosses poires fondantes et sucrées
180 g de farine
1/2 sachet de levure chimique
1 c. à soupe de fécule de maïs
4 c. à soupe de cassonade
50 g de beurre
2 blancs d'œufs
1 pincée de sel
1 c. à café de cardamome en poudre
morceaux de poires et graines de cardamome (facultatif)

Préchauffer le four à 180 °C (th. 6). Faire cuire, à feu doux, dans une casserole, les poires épluchées et découpées en cubes. Ajouter deux cuillerées à soupe de cassonade et la cardamome. Mélanger énergiquement le reste des ingrédients dans un saladier pour former une pâte qui doit se détacher de la paroi. Former une boule et laisser reposer dans le saladier filmé au moins 30 minutes au frais. Étaler la pâte sur une plaque de cuisson huilée (ou mieux sur une feuille de cuisson antiadhésive). Recouvrir des poires cuites sans déborder. Mettre au four 30 minutes. Laisser refroidir. Servir décoré de morceaux de poires et de graines de cardamome.

> 170 kcal / 4 g de lipides

mini cakes au thé

POUR **4** PERSONNES • **10** MINUTES DE PRÉPARATION • **30** MINUTES DE CUISSON

75 g de sucre en poudre
40 g de farine
4 blancs d'œufs
1 sachet de sucre vanillé
2 c. à café de thé parfumé (réduit en poudre)
sucre glace (facultatif)
1 pincée de sel

Préchauffer le four à 180 °C (th. 6). Mélanger la farine, le sucre vanillé, 50 g de sucre et le thé dans un ravier. Monter les blancs en neige ferme avec une pincée de sel. Incorporer délicatement 25 g de sucre. Continuer à battre au fouet électrique jusqu'à ce que des pics fermes se forment. Dresser dans des moules individuels antiadhésifs (style moule à savarin). Enfourner pendant 30 minutes en surveillant la cuisson (le gâteau doit rester souple au toucher). Saupoudrer de sucre glace au moment de servir.

> 150 kcal / 0 g de lipides

soufflés au chocolat

POUR **6** PERSONNES • **10** MINUTES DE PRÉPARATION • **15** MINUTES DE CUISSON

5 c. à soupe de jus de clémentine ou de pamplemousse rose
70 g de sucre
6 blancs d'œufs
20 g de cacao en poudre non sucré
2 c. à soupe de Cointreau
1 sachet de sucre vanillé
zestes de citron
huile
1 pincée de sel

Badigeonner très légèrement d'huile (avec un papier absorbant) des ramequins (assez hauts) allant au four . Préchauffer le four à 150 °C (th. 5). Faire réduire le jus de clémentine, dans une casserole, avec le sucre, à feu doux. Remuer de temps en temps. Le mélange doit épaissir et prendre une consistance sirupeuse. Hors du feu, ajouter le sucre vanillé, le cacao et le Cointreau. Battre les blancs d'œufs avec une pincée de sel en neige ferme dans un saladier. Ajouter à la préparation précédente en mélangeant doucement. Ajouter ensuite les zestes. Verser la préparation dans les ramequins. Mettre au four pour faire cuire et lever les soufflés (environ 10 minutes) en les surveillant attentivement. Servir aussitôt saupoudrés de cacao.

> 145 kcal / 2 g de lipides

cake marbré

POUR **4** PERSONNES • **30** MINUTES DE PRÉPARATION • **20** MINUTES DE CUISSON

4 œufs
100 g de farine
6 c. à soupe de sucre
50 g de cacao en poudre
1/2 sachet de levure chimique
1 c. à soupe de crème de whisky
1 petite pincée de gingembre moulu
1 pincée de sel

Préchauffer le four à 210 °C (th. 7). Battre les jaunes d'œufs avec 1 cuillerée à soupe d'eau et 3 cuillerées à soupe de sucre. Battre les blancs (avec une pincée de sel) en neige ferme. Ajouter le reste du sucre sans cesser de battre. Incorporer délicatement les blancs au mélange. Ajouter en pluie la farine et la levure. Bien mélanger. Diviser cette préparation dans deux plats. Ajouter à l'un d'eux le cacao et à l'autre la crème de Whisky et le gingembre. Fariner un moule à cake. Disposer les mélanges en deux couches successives. Mélanger grossièrement à la cuillère. Mettre au four pendant 15 minutes. Vérifier la cuisson avec un couteau. Si nécessaire la prolonger.

> 271 kcal / 9 g de lipides

petits choux au chocolat

POUR **4** PERSONNES (**2** PETITS CHOUX PAR PERSONNE) • **15** MINUTES DE PRÉPARATION • **30** MINUTES DE CUISSON

6 cl de lait écrémé
50 g de farine
1 c. à soupe de beurre
2 œufs
1 pincée de sel
1 c. à café de poudre de cacao sans sucre
2 crèmes dessert allégées au chocolat
1 feuille de gélatine
copeaux de chocolat (facultatif)

Préchauffer le four à 180 °C (th. 6). Réaliser une pâte à chou : dans une casserole, faire fondre le beurre avec le lait, le sel et 6 cl d'eau et porter à ébullition. Éteindre le feu. Ajouter la farine en une fois. Mélanger énergiquement. La pâte doit se détacher de la paroi. Si ce n'est pas le cas, remettre sur feu très doux pour la dessécher un peu plus. Hors du feu, ajouter un à un les œufs et au final le cacao. La pâte doit être souple et homogène. Dresser sur une plaque de cuisson légèrement huilée avec deux cuillères pour former des petits dômes de taille régulière. Mettre au four 15 minutes à 180 °C, puis baisser le feu à 150 °C et prolonger la cuisson 15 minutes. Les choux sont cuits quand ils sont dorés et gonflés. Ne pas les retirer du four avant cuisson complète : ils retomberaient. Dissoudre la gélatine dans trois cuillerées à soupe d'eau chaude. Mélanger à la crème dessert et faire refroidir. Une fois les choux froids, les découper pour les fourrer avec la crème. Servir décorés de copeaux de chocolat.

> 135 kcal / 6 g de lipides

annexes

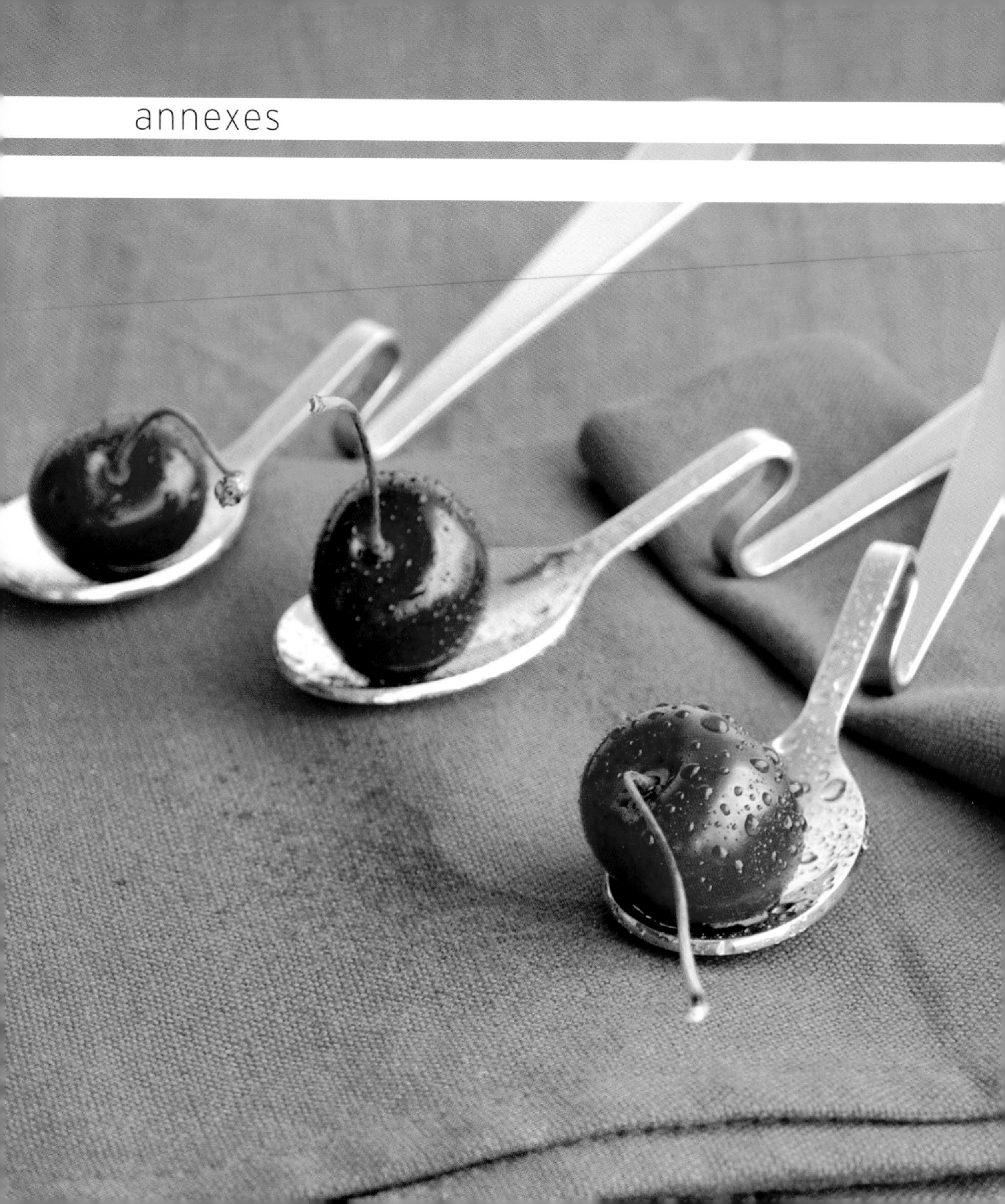

table des recettes

chacun sa sauce 317

desserts fruités, douceurs lactées et gâteaux tout légers 339

index des recettes

411

shopping

serviette Casa ; tissus rayé : Habitat ; couverts : Pic Woody's •
p. 257 planche : Ikéa huilier : Olivier & Co ; assiette, coupelle
et cuillère en argent : Tadé ; tissus : Casa • **p. 258** bol : Alinéa ;
serviette : Fly • **p. 259** serviette, mug et cuillère : Fly • **p. 263**
bols en raku : Laolin ; serviette : Casa ; set : Alinéa • **p. 265**
assiette et serviette : Casa ; set en raphia : Alinéa ; set en
bambou : Fly • **p. 266** verre : Casa ; torchon : Habitat ; set :
Printemps ; cuillère : Ikéa ; plats : Botanic • **p. 267** serviette :
Alinéa ; fourchette : Ikéa • **p. 269** plat : Athezza ; set rayé :
Printemps ; serviette anis et verre : Alinéa ; cuillère : Ikéa •
p. 271 bol : Alinéa ; serviette : Casa • **p. 273** dessous de plat,
bol et rabane : Alinéa ; cuillère : Casa • **p. 275** assiette : Casa ;
bol : Habitat • **p. 279** bol : Le jardin d'Ulysse ; cuillère : Casa ;
serviette : Alinéa • **p. 280** serviettes et assiette : Fly • **p. 281**
ardoise : Alinéa ; chemin de table : AMPM • **p. 285** serviette et
plat : Fly • **p. 287** set : Fly ; serviette en papier :
V. Pavot/Botanic ; boîtes : Carrefour • **p. 289** plat : Pirex ;
spatule : Habitat ; set et serviette : Alinéa • **p. 290** cuillère :
Côté bastide ; bol : Fly ; serviette : Fly • **p. 291** serviette :
Alinéa ; assiette : AMPM ; dessous de plat : Alinéa ; cuillères :
Amadeus • **p. 295** set et serviette : Alinéa ; bol : Laolin ;
cuillère : Casa • **p. 297** bol, serviette et cuillère : Casa • **p. 299**
bol et serviette : Alinéa ; set : Fly ; couvercle de tajine : Casa
• **p. 301** tissus : Habitat ; plat à gratin : Carrefour ; cuillère :
Casa • **p. 302** planche : Alinéa ; set et serviette : Fly ; plat :
Carrefour • **p. 303** coupelle : AMPM ; couverts : Pic Woody's ;
serviette : Alinéa ; set : Casa • **p. 307** cuillère inox et serviette :
Alinéa • p. 309 poêle : Teffal ; dessous de plat : Typhoon ;
serviette : Fly • **p. 311** planche : Alinéa ; plat et tissus : Athezza ;
cuillère : Habitat • **p. 313** set : Printemps ; table bistro :
Habitat ; Serviette : Alinéa ; assiette : Le jardin d'Ulysse ;
fourchette : Casa • **p. 315** torchon : Athezza ; plat : Carrefour ;
dessous de plat : Habitat • **p. 319** set et ramequin : Alinéa ;
cuillère : Casa • **p. 321** set : Alinéa ; verre : Habitat ; ramequin :
Ikéa • **p. 323** set : Alinéa ; ramequin : Ikéa ; cuillère : Place des
Lices • **p. 324** set : Alinéa ; ramequin et coupelle : Laolin ;
cuillère bois : Habitat • **p. 325** set : Alinéa ; cuillère : Place des
Lices ; ramequin : La Maison coloniale • **p. 329** set : Alinéa ;
verre : Place des Lices, fourchette : La Bambouseraie d'Anduze
• **p. 331** set : Alinéa ; coupelle : Laolin ; petite coupelle en
verre : Ikéa • **p. 333** set et ramequin : Alinéa ; cuillère : Casa
• **p. 335** set : Alinéa ; verre : Fly • **p. 337** verre : Tadé ; set :
Alinéa • **p. 341** plat : Fly ; chemin de table et set : Alinéa
• **p. 343** plat et cuillères Fly ; serviette : Casa ; chemin de
table : Alinéa • **p. 345** assiette : Fly ; serviette Casa • **p. 347**
compotier : AMPM ; cuillère : Habitat planche : Alinéa ; tissu :
Athezza • **p. 349** serviette : Alinéa ; verre : Ikéa ; cuillère : Casa

• **p. 351** serviettes : Athezza et Alinéa ; cuillère : Fly • **p. 352**
ramequin : AMPM ; cuillère Côté bastide ; serviette : Alinéa
• **p. 353** verres : Casa ; serviette et cuillère : Alinéa • **p. 357**
set raphia : Alinéa, corbeille : verre Fly ; ramequin : AMPM
• **p. 359** verres Fly ; tissus Habitat ; photophores : Printemp ;
cuillère : Casa • **p. 361** ramequin et cuillère : Tadé • **p. 363**
cuillère : Habitat ; serviette : Athezza • **p. 364** ramequin :
Alinéa ; cuillère : Fly • **p. 365** ramequin : Casa ; cuillère : Côté
bastide • **p. 368** coupe, verre et serviette : Fly ; cuillère : Côté
bastide • **p. 369** ramequins : Ikéa ; cuillère : Fly • **p. 373** bols :
LaoLin ; cuillère : Côté bastide ; set : Alinéa • **p. 375** verre et
serviette : Casa • **p. 377** chemin de table AMPM ; serviette
et cuillère : Fly • **p. 379** serviette : Athezza • **p. 381** ramequins :
Casa ; set de table : Fly ; cuillères Amadeus chez Botanic
• **p. 383** plat à tarte : Casa • **p. 385** set et serviette : Fly ;
assiette : Alinéa ; fourchette : Ikéa • **p. 387** serviette : Casa ;
verre : Côté bastide ; assiette : Tadé • **p. 388** moule :
Printemps ; serviette : Athezza • **p. 389** moule : Printemps ;
cuillère : Casa ; serviette : Alinéa • **p. 393** coupelle : Alinéa ;
bol : Casa • **p. 395** coupelle : Tadé ; serviette : AMPM ; cuillère :
Côté bastide • **p. 396** moules à cannelés : Carrefour ; cuillère :
Habitat • **p. 397** coupelle : Tad ; cuillère : Côté bastide • **p. 401**
moules : Printemp ; planche : Alinéa ; fo urchette : Ikéa
• **p. 403** ramequin : LaoLin ; cuillère Côté bastide • **p. 405**
cuillère : Fly ; bol : Casa • **p. 407** serviette : Casa

Carnet d'adresses

LaoLin, céramique en raku traditionnel
http://laolin.mplusnature.com
Tadé, pays du Soleil Levant Moulin de la Panagia, 188,
chemin de Payerolle, 83190 Ollioules
Côté Bastide 4, rue de Poissy, 75005 Paris
Athezza tél. 0 825 85 86 05
Marsiho 59 rue Grignan, 13006 Marseille
Lou Pichot Trésor 4, rue Jean-Aicard 83230 Bormes-les-
Mimosas
Botanic Rue de Lisbonne, 83500 La Seyne-sur-Mer
www.alinea.fr
www.casashop.com
www.flymeubles.com
www.habitat.net
www.ikea.fr
www.printemps.com
www.laredoute.fr (AMPM)
www.maisondumonde.com

remerciements

De Stéphane Dupré

À Fred.

À Papa et Nanard pour la transmission de leur savoir-faire et leur passion de la cuisine.

À JF et Manu pour leurs résistances à mes tests et pour leurs inspirations directes ou indirectes.

À mes amis qui acceptent si régulièrement se joindre à moi pour de nouvelles découvertes culinaires.

À Emmanuel pour la confiance accordée dans ce premier ouvrage chez Marabout.

Et une spéciale dédicace à Aline pour sa patience, sa douceur et ses remarques riches d'enseignement.

D'Amélie Vuillon

À Olivier pour sa patience légendaire, à Pauline, Nicole pour leur aide précieuse, à Aline et Emmanuel pour leur confiance libératrice.

De Marabout

À Raphaëlle Vinon et Odile Zimmerman pour leur précieuse collaboration.

ISBN : 2501042999 • 40.9253.2/01 • Dépôt légal : 67516 Février 2006s
Imprimé en Espagne par Graficas Estella